ROTATING STOCK
STOURBRIDGE
01384 812945
BRIERLEY HILL
01384 812865
08 AUG 2013
D0533067
494

Über dieses Buch Eines Morgens spürt die wissenschaftliche Mitarbeiterin eines historischen Instituts in Ostberlin, daß ihre Beine gelähmt sind. Ähnlich Gontscharows Oblomow bleibt sie fortan im Bett, geht nicht mehr zur Arbeit, entzieht sich ihrer »lebenslangen Dienstverpflichtung«. Niemand vermißt sie, auch nicht ihr langjähriger Freund, mit dem sie zusammengelebt und den sie gerade verlassen hat. Von nun an lebt sie nur noch ihren Erinnerungen, Tagträumen und Phantasien. Monika Maron zu ihrem jüngsten Buch: »In der ›Überläuferin‹ wollte ich keinen Unterschied zwischen Traum und Leben machen. Ich will das Wort ›Traum‹ nicht aussprechen. Es enthält immer eine Art Fluchtgedanken. Statt dessen meine ich einfach das Ausdenken, den Entwurf vom Leben. Im übrigen ist Literatur sowieso eine Art Traum, das nicht gelebte Leben.« Die ›Neue Zürcher Zeitung‹ schrieb: »Monika Marons Buch gehört vielleicht nicht zu den perfektesten der Saison, aber zu den kraftvollsten – und dadurch wichtigsten; man kommt – nachdenkend – damit an kein Ende.«

Die Autorin Monika Maron wurde 1941 in Berlin geboren; nach dem Abitur arbeitete sie ein Jahr lang als Fräserin, anschließend studierte sie Theaterwissenschaften und Kunstgeschichte und war danach als Regieassistentin beim Fernsehen sowie als wissenschaftliche Aspirantin an der Schauspielschule Berlin tätig. Sechs Jahre lang arbeitete sie als Journalistin für die beiden Ostberliner Zeitschriften ›Für Dich‹ und ›Wochenpost‹; seit 1976 freie Schriftstellerin in Berlin/DDR, im Sommer 1988 übersiedelte sie nach Hamburg.
Von Monika Maron außerdem im Fischer Taschenbuch Programm: ›Das Mißverständnis‹ (Bd. 10826) und ›Flugasche‹ (Bd. 3784). Im S. Fischer Verlag erschien ›Stille Zeile Sechs‹.

Monika Maron
Die Überläuferin
Roman

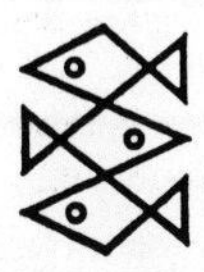

Fischer
Taschenbuch
Verlag

18.–20. Tausend: Juni 1992

Ungekürzte Ausgabe
Veröffentlicht im Fischer Taschenbuch Verlag GmbH,
Frankfurt am Main, Juni 1988

Lizenzausgabe mit freundlicher Genehmigung
der S. Fischer Verlags GmbH, Frankfurt am Main

Umschlaggestaltung: Buchholz / Hinsch / Hensinger
Druck und Bindung: Clausen & Bosse, Leck
Printed in Germany
ISBN 3-596-29197-6

Die Überläuferin

Für Wilhelm

Zum drittenmal war es Nacht, der Mond tanzte auf einem unsichtbaren Seil von einer Straßenseite auf die andere, dafür brauchte er zwei Stunden, das wußte sie aus früheren Nächten. Seit zwei Tagen lag, saß sie im Bett, auf dem Teppich, im Sessel, und es wunderte sie, daß sie seit zwei Tagen weder Hunger verspürte noch Durst, noch ein aus der Nahrungsaufnahme resultierendes Bedürfnis. Seit vierundfünfzig Stunden hatte sie nicht geschlafen und war auch jetzt nicht müde. Dabei hätte sie in den letzten Jahren eher über ein unersättliches Schlafbedürfnis, das sich in den Wintermonaten zur Schlafsucht steigerte, klagen können als über durchwachte Nächte. Trotzdem befremdeten sie ihre andauernd wachen Sinne weniger als die allgemeine Bedürfnislosigkeit ihres Körpers, der alle lebenserhaltenden Funktionen zu erfüllen schien, ohne eine Gegenleistung zu verlangen. Selbst der Gedanke an gespickten Rehrücken mit Morchelsoße löste kein Hungergefühl in ihr aus, nicht einmal Appetit. Sie konnte sich ihren Zustand nicht erklären, hoffte nur, er würde anhalten, ohne daß sie darüber zum Skelett abmagerte, da er sie vor sonst unüberwindbaren Hindernissen bewahrte. Niemand mußte so für sie einkaufen, kochen, und das Wichtigste: sie brauchte kaum Geld. Und fast schien es, als könnte sie mit diesem glücklichen Umstand rechnen, denn sie fühlte sich kräftig und gesund, wenn sie von den Beinen absah, die sie gar nicht fühlte, als hätte ihr Körper endlich verstanden, was sie lange schon von ihm gefordert hatte. Immer hatte er sie mit Almosen vertröstet: die Mandeln, die Galle, am Ende sogar eine Niere. Aber nie hatte die Freiheit länger gedauert als einige Wochen, höchstens Monate. Jetzt endlich, glaubte Rosalind, hat er begriffen, daß die lumpigen kleinen Organe, die zu opfern er bereit war, nicht taugten, um ein Entlassungspapier aus lebenslanger Dienstverpflichtung zu erlangen.

Zu den Absonderlichkeiten, die ihr seit drei Tagen widerfuhren, gehörte, daß ihr Telefon in dieser Zeit nicht einmal geläutet hatte. Es gab nicht viele Menschen, von denen Rosalind annehmen konnte, daß sie sie schon nach wenigen Tagen vermissen würden. Einer aber war verpflichtet, ihr Fernbleiben zu bemerken: Siegfried Barabas, Vorstand jener historischen Forschungsstätte, der Rosalind vor fünfzehn Jahren als Absolventin zugeteilt worden war und in der sie seitdem, wenn nicht Wochenenden, staatliche Feiertage, Urlaub oder Krankheit sie davon befreiten, um sieben Uhr fünfundvierzig eines jeden Tages zu erscheinen und bis siebzehn Uhr eines jeden Tages zu verbleiben hatte.

Jeden Tag um sieben Uhr fünf der gleiche Weg durch die kleine schattige Straße, in der sie wohnte, hinunter bis zur Becherstraße, frühere Breite Straße (Straßen ergeht es mit ihren Namen ähnlich wie den Frauen, sie sind geborene, verheiratete, geschiedene, wieder geborene, je nachdem, welchen Männern oder Regierungen sie gerade angehören). Die Becherstraße fünfzig Meter westwärts bis zur Haltestelle der Straßenbahnlinie Sechsundvierzig in Richtung Kupfergraben, dreißig Minuten Fahrt bis zur Weidendammer Brücke, den Schiffbauerdamm entlang neben der mit hohen Wellblechplatten verbarrikadierten Spree. Vor zwei Jahren hatte man die Platten angebracht. Rosalind hatte vom Fenster ihres Arbeitszimmers aus beobachten können, wie der Fluß nach und nach hinter dem grauen Blech verschwand, wohl um ihn vor den Sprüngen Fluchtwilliger zu schützen oder diese vor der Versuchung, die der freie Flug der Möwen, bedenkenlos auf Nahrungssuche zwischen Bodemuseum und Lützowufer, in ihnen hätte wecken können. Den Schiffbauerdamm entlang über die Albrechtstraße, unter der S-Bahn-Brücke hindurch, auf der die Züge in den Westen fuhren, im nächsten Jahrtausend auch für sie, Rosalind, wenn sie nicht vorher gestorben war. Noch einige Schritte bis zu dem schmalen grauen Haus, neben dessen Eingangstür ein gußeisernes Schild seine Zugehörigkeit zu der bedeutendsten Wissenschaftsinstitution des Landes bekundete. Vorbei am Pförtner, einem entgegen dem Ruf seines Berufsstandes freundlichen Mann, der infolge eines Unfalls, bei dem er das rechte Bein verloren hatte, nicht mehr als Lokomotivführer arbeiten konnte, statt dessen nun aus der Pförtnerloge heraussah wie ehemals aus der Lokomotive, einen Arm rechtwinklig über die Brüstung gelehnt, die Augenlider leicht zusammengekniffen, als müßten sie den Fahrtwind abwehren. Zwei Stockwerke hoch über den glatt gebohnerten, an den Rändern schon ausgefransten Linoleumbelag, Frau Petris tadelnder Blick wegen der fünfminütigen Verspätung; Barabas' neuerliche Änderungswünsche an ihrem letzten Aufsatz. Dann ihr Zimmer, acht Quadratmeter, ab sechzehn Uhr Sonne, Zeitschriften, Karteikarten, die

vernagelte Spree, die Schreibmaschine, die Zöllner auf dem Weg zur Arbeit, von der Arbeit, die Hunde, von denen man sagte, sie seien blut- und rauschgiftsüchtig, das jeden Tag.
Schon nach einem halben Tag ließ Barabas für gewöhnlich bei erkrankten Mitarbeitern anrufen, um eine Entschuldigung für das unerlaubte Fernbleiben vom Arbeitsplatz einzuholen, undenkbar, daß er in ihrem Fall auf eine solche Auskunft verzichten sollte. Aber sie wollte jetzt nicht an Barabas denken. Was ihr gerade geschah, war zu wunderbar, als daß sie es schon vermischen wollte mit den todlangweiligen Banalitäten ihres bisherigen Alltags, vor denen sie sich geflüchtet hatte. Vielleicht war das Barabassche Institut abgebrannt, und man beklagte sie inzwischen als ein verschüttetes Opfer der Katastrophe, oder sie hatten einfach vergessen, daß es sie gab. Barabas hatte am Dienstag die gepolsterte Tür seines Zimmers geöffnet, während er überlegte, welchen seiner Mitarbeiter er zu sieben Uhr fünfundvierzig zu sich bestellen lassen wollte, und hatte dabei auf Rosalind nicht mehr kommen können, weil sie aus seiner Erinnerung gelöscht war wie ein Programm aus einem Computer.

Nachdem Rosalind von der Haltbarkeit ihres Zustandes überzeugt war, begann sie darüber nachzudenken, wie die unvorstellbare Menge Zeit, die ihr plötzlich zur Verfügung stand, zu verwerten sei. Die erste Überlegung galt dem Begriff, den sie der Zeit zuordnen wollte, von dem auch abhing, wie die Tätigkeit zu benennen sei, in der sie mit der Zeit verfahren wollte; ob es sich tatsächlich um eine Menge Zeit handelte, die sie so oder so verteilen könnte, bis sie aufgebraucht war; oder ob sie die Zeit als einen Raum ansehen wollte, der angefüllt wurde mit Ereignissen und Gedanken. Es fiel ihr schwer, sich zwischen diesen beiden und, wie ihr schien, einander feindlichen Gesinnungen zu entscheiden. Der verschwenderische und freigiebige Charakter der ersten war ihr sympathisch und entsprach ihrem derzeitigen Bedürfnis nach Verzicht. Zugleich aber erschien es ihr leichtsinnig, wenn eine Person in ihrer Lage das einzige, was sie besaß: einen Überfluß an Zeit, der Vergeßlichkeit überlassen wollte wie ein Baum seine welken Blätter dem Herbstwind. Sinnvoller wäre es, dachte sie, die Zeit als einen bemessenen Raum zu betrachten, in dem sie die Erlebnisse sammeln wollte wie Bücher in einer Bibliothek, ihr jederzeit zugängliche und abrufbare Erinnerungen. Eine einzigartige Möglichkeit, nie mehr etwas hinter sich lassen zu müssen, nie wieder eine Zeit verlassen zu müssen für eine andere. Sie könnte fortan bleiben, während sie fortging, und fortgehen, während sie blieb. Auch vergangene Zeiten könnte sie in diesen Raum denken und mit beliebiger Zukunft zu dauernder Gegenwart verschmelzen. Eine nicht endende Orgie phantastischer Ereignisse stand ihr bevor, ein wunderbares Chaos ohne Ziel und Zweck, sofern die gewohnte Ordnung ihres Gehirns das zuließ.

Beginne ich also mit der ersten Katastrophe meines Lebens, Ursache aller folgenden, in Tragik und Größe der ersten niemals vergleichbar. Nur die letzte, mein Tod, wird, das hoffe ich, der ersten ebenbürtig sein. Meiner Geburt.

Die letzte Nacht vor meiner Geburt verbrachten meine Mutter und ich schon im Krankenhaus. Ich hatte keine Lust zum Geborenwerden und verhielt mich still. Meine Mutter aber, das spürte ich deutlich, wollte mich loswerden. Auch die anderen, nach ihrer barschen Stimme, an die ich mich genau erinnere, waren es die Krankenschwestern, fragten alle halbe Stunde, wie weit es mit mir inzwischen sei und ob ich mich endlich auf den Weg gemacht hätte. Meine Mutter drückte und preßte mich mit ihren Muskeln, daß ich hin und her gestoßen wurde, wovon mir eine ausgeprägte Abneigung, eine Phobie geradezu, gegen jede Art von Rempeln und Drängeln verblieben ist. Plötzlich erschrak ich heftig, weil meine Mutter sich heftig erschrocken hatte, und langsam drang auch bis zu mir, gedämpft durch die Membran des mütterlichen Bauches, das mir schon bekannte Geräusch der Sirene. Meine Mutter vertauschte ihren Platz im Bett mit dem darunter. Wir kauerten auf der Erde, und meine Mutter unterließ es jetzt, ihre Muskeln gegen mich einzusetzen. Sie tat mir leid, weil sie so zitterte, wodurch das Wasser, in dem ich hockte, in kleinen aufgeregten Wellen plätscherte, was mir angenehm war. Auch später, in meiner Kinderbadewanne, mochte ich solche Wellen. Mein sanftes, unschuldiges Wohlbefinden wurde jäh gestört durch erdbebengleiche Detonationen, verursacht von Bomben, die links und rechts von uns einschlugen. Meine junge Mutter, so jung, wie ich sie nie in meinem Leben sah, weinte und jammerte, während ich hoffte, so noch in ihrem Schoß sterben zu dürfen und um einen eigenen, kalten, schmerzhaften Tod herumzukommen. Aber meine Mutter schien das Gegenteil zu wünschen. Sofort nach den Detonationen setzte sie ihre feindlichen Muskelbewegungen gegen mich wieder ein, heftiger als zuvor, so daß die Blase davon sprang und mein Lebenswasser auslief. Meine Mutter hockte immer noch unter dem Bett und schrie ängstlich nach den Schwestern angesichts des aus ihr laufenden Wassers, von dem sie, zu jung und unerfahren im Kinderkriegen, nicht wußte, was es damit auf sich hatte. Die Schwestern kamen an unser Bett, fanden uns aber nicht darin, weil wir ja darunter hockten, was die Schwestern nicht sehen konnten, da wegen der Fliegerangriffe das Licht abgeschaltet war. Hier, wimmerte meine Mutter, die sich, inzwischen von heftigem Geburtsschmerz befallen, kaum mehr rühren konnte, hier bin ich. Die Schwestern zerrten uns grob und laut schimpfend unter dem Bett hervor und warfen uns wieder darauf. Mir verging endgültig die Lust zum Geborenwerden, und ich überlegte, wie ich es jetzt, in so fortgeschrittenem Stadium, noch verhindern könnte. Ich legte mir die Nabelschnur um den Hals und hoffte, sie würde mich erdrosseln, während die Mutter mich ausstieß. Als ich in den Strudel geriet, entglitt mir die Schnur, und mir fehlte die Kraft, das Ganze zu wiederholen. Draußen blendete mich die Finsternis, in die ich geboren war, daß ich fast erblindete, und die Sirene gellte Entwarnung über die Reste der Stadt, daß ich sie bis heute höre, wenn es sehr still ist. Ich schrie, so laut ich konnte, um Hilfe. Aber nicht einmal meine Mutter verstand, was ich schrie. Und hätte sie es verstanden, sie hätte mich doch nicht zurückgenommen. Sechs Wochen verzieh ich ihr nicht, daß sie mich geboren hatte, erst danach öffnete ich die Augen und sah sie zum erstenmal an.

*

Außer der mangelhaften Lust zu leben haben mir die Umstände meines Geborenwerdens zweierlei hinterlassen: die Unfruchtbarkeit meines Leibes und ein Interesse am Tod, das schon das Befremden meiner Umgebung hervorrief, als ich noch ein Kind war. Mein Vater bezichtigte mich bis zu seinem Tod vor sechs Jahren, ich hätte schon als Vierjährige den Wunsch gehabt, ihn umzubringen, da ich fast täglich darauf bestanden hätte, ihn mittels einer Müllschippe und eines Handfegers zu beerdigen. Krieg und Gefangenschaft hatten ihn für solche Spiele unbrauchbar gemacht, trotzdem hätte er mir sicher verziehen, wären seine Gefühle zu mir nicht gestört gewesen durch den Zweifel, in mir wirklich die Frucht seines Samens zu sehen. Später, als sich an mir ein erblicher Augenfehler seiner Familie zeigte, wurde jeder Zweifel getilgt, aber da war ich schon sechs Jahre alt, und er hatte es verlernt, mich zu lieben. Welche Gründe ich tatsächlich hatte, den Vater täglich zu begraben, erinnere ich nicht. Daß ich seine Abwesenheit gewünscht habe, glaube ich nicht, denn ich war froh, zu den Kindern zu gehören, die über einen Vater verfügten. Damals war der Tod alltäglich. Alle sprachen von Toten wie von Lebenden, was sie gesagt haben, wessen Eltern oder Kinder sie waren, wie man mit ihnen im Kino war. Onkel Paul war tot, meine Großeltern waren tot, die Tochter vom Kaufmann Kupitzki war tot, weil sie die Stoffballen aus dem brennenden Haus hatte retten wollen, Tante Lotte war gestorben, nachdem sie erfahren hatte, daß ihr Sohn gefallen war. Von allen Toten hatte ich durch Fotografien und Erzählungen ein deutliches Bild, als würde ich sie kennen, und sie wären nur gerade verreist. Tante Lotte, die ich wirklich gekannt hatte, durfte ich Maiglöckchen aufs Grab legen, weil das ihre Lieblingsblumen waren und sie sich darüber freuen würde, wie meine Mutter sagte. Wer sich freuen konnte, lebte, wenn auch unsichtbar wie ein Luftzug. Es wäre mir nicht eingefallen, ein Kind im Spiel sterben zu lassen. Der Tod stand nur den Erwachsenen zu, und nur sie wußten, was er zu bedeuten hatte. Der Vater mußte die Hand schlapp über die Sessellehne fallen lassen und durfte sie nicht anspannen, wenn ich sie pendeln ließ. Er mußte fühllos sein, bis ich ihn begraben hatte, und erwachen, sobald ich es befahl. Sei tot, wach auf, sei tot, wach auf, wie Schneewittchen und Dornröschen aufgewacht waren. Ich glaube, ich fand Trost in diesem Spiel; der Trost lag in der Widerrufbarkeit des Todes, die ich erhoffte, wie ich vor meiner Geburt schon die Zurücknahme meines Lebens erhofft hatte. Ich wünschte die Auferstehung aller Toten, die ich schon gesehen hatte; die Erinnerung an sie als einen Irrtum, einen korrigierbaren Irrtum aufklären, damit ich sie vergessen durfte, die vielen Toten an einem Sonntag im Februar, als wir, meine Mutter und ich, Ida in den Trümmern des Neanderviertels suchten. Meine Mutter trug ihren schwarzen Mantel aus Fohlenfell, den mein Vater ihr aus Paris geschickt hatte, und sie hatte sich, wohl weil Sonntag war, ihre schönen Lippen blutrot gemalt. So fuhren wir, ich auf ihrem Arm, mit der U-Bahn zum Neanderviertel, in dem Ida wohnte und das, wie man im Radio gemeldet hatte, am Tag zuvor bombardiert worden war. Schon im U-Bahn-Schacht quoll uns ein widerlicher unbeschreiblicher Gestank entgegen. Draußen stand ein kalter staubiger Qualm über den zusammengestürzten Häusern, wovon mir übel wurde und meine Augen tränten. Da ich auf den Armen meiner Mutter saß und mein Gesicht in dem schwarzen glatten Fell ihres Mantels vergrub, sah ich zuerst die Leichen nicht, über die wir stiegen. Erst als ich das Beben im Körper meiner Mutter spürte und das Schluchzen hörte, durch das es hervorgerufen war, blickte ich über ihre Schulter auf die leblosen, verrenkten, zum Teil von Trümmern halbverdeckten Körper unter uns. Mehr als die Toten beunruhigte mich das Weinen meiner Mutter. Ida weinte, ich weinte, aber sie weinte nicht, jedenfalls nicht, wenn ich sie dabei hätte sehen können. Erst acht Jahre später erlebte ich zum zweitenmal, daß sie weinte. Sie kniete vor dem offenen Küchenschrank, um die Kaffeedose herauszuholen, als im Radio Unsterbliche Opfer erklang. Der Generalissimus war gestorben. Ich schämte mich, weil ich nicht weinen mußte wie meine Mutter, und fragte sie erst am nächsten Tag, ob man bei Staatstrauer Rollschuh laufen dürfe. Meine Mutter stieg in ihren Stiefeln mit den hohen Absätzen vorsichtig über die Leichen hinweg, damit wir nicht stolperten und zwischen sie fielen. Idas Haus gab es nicht mehr, nur noch einen Haufen rosiger Steine über Möbeln und anderen Lebensresten, aus dem hier und da Arme und Beine Verschütteter ragten. Meine Mutter weinte, und ihre Tränen liefen über ihren Mund und mischten sich mit der roten Farbe darauf zu kleinen Rinnsalen, die ihr wie Blut aus den Mundwinkeln flossen. Wat heulstn, du kannst dir wenigstens noch die Lippen anmaln, dit könn die hier nich mehr, sagte ein Mann, der die Leichen von der Straße aufsammelte und sie an einer unzerstörten Hauswand stapelte, zu meiner Mutter. Sie weinte immer heftiger, so daß sie durch die Tränen kaum noch sehen konnte und wir beinahe über die Beine einer toten Frau gefallen wären. Ida ist tot, Ida ist tot, jammerte meine Mutter und suchte an den vielen umherliegenden Füßen nach den roten Skistiefeln, die Ida bei Fliegerangriffen immer anzog, damit sie, falls sie ausgebombt würde, noch etwas Warmes an den Füßen hätte. Wir fanden Idas rote Skistiefel nicht, wir fanden auch Ida nicht. Nach drei Tagen stand sie vor unserer Tür, nachdem man ihre Rauchvergiftung im Krankenhaus notdürftig kuriert hatte. Ida lebte, Ida war nicht tot, Ida wäre beinahe gestorben, es sei ein Wunder, daß sie noch lebte, sagte Ida,

sagte meine Mutter, Ida war ein Grenzfall zwischen Leben und Tod. Später vergaßen wir das wieder und gewöhnten uns an Idas geschenktes Leben, bis sie starb, mehr als dreißig Jahre später, da fiel es mir wieder ein, daß es beinahe keine Ida gegeben hätte in meinem Leben. Später, als ich ohne die Vermittlung Erwachsener meine eigene Bekanntschaft mit dem Tod suchte, war das die große Versuchung: auf der Schwelle stehen, ohne sie zu überschreiten. In einer Winternacht, nur mit einem Nachthemd bekleidet, auf dem Balkon hocken und warten, ob die tödliche Lungenentzündung mich anfällt; auf dem U-Bahn-Steig die Zehenspitze über die Bahnsteigkante schieben und wippen, während der Zug einfährt. Hundertmal habe ich mir meinen Tod ausgedacht, mit dem ich meine Eltern strafen wollte.
Als ich dreizehn war, mußte ich am Blinddarm operiert werden. Zwei Tage vor meiner Einlieferung ins Krankenhaus sagte ich beim Abendbrot zu meinen Eltern, daß ich mich vor der Operation fürchte. Meine Mutter beruhigte mich, es sei ein harmloser Eingriff, bei dem mir nichts geschehen könnte.
Woher willstn das wissen, sagte mein Vater und schlürfte die Bohnensuppe, grüne Bohnen mit Rindfleisch, gibt genug Leute, die daran sterben.
Der wünscht, daß ich tot bin, dachte ich.
Meine Mutter schwieg.
Der Vater schlürfte weiter die Suppe.
Als ich ihm aus der Küche ein Bier holen mußte, hörte ich, wie meine Mutter sagte: Mußt du ihr solche Angst machen, Herbert.

Ich öffnete die Flasche in der Küche und spuckte in das Bier.
Den Gedanken, die Eltern durch meinen Tod zu strafen, gab ich auf. Seitdem wünschte ich den Tod meines Vaters. Ich habe den Gedanken nie in diesen Worten gedacht, ich wünschte nur seine Abwesenheit. Er soll weg sein, dachte ich; den Rest überließ ich einem gerechten Schicksal, für das ich nicht verantwortlich war. Er lebte noch zwanzig Jahre, und als er starb, habe ich die Unwiderruflichkeit des Todes zum erstemmal schmerzlich empfunden. Als die Männer ihn aus dem Haus trugen, hielt ich ihnen die zweiflüglige Schwingtür auf, mit jedem Arm einen Flügel, so daß die Träger sich unter meinen ausgestreckten Armen bücken mußten. Während sie sich mühten, die Bahre mit der Leiche durch das Hindernis zu bugsieren, zu dem ausgerechnet ich auf seinem letzten Weg aus diesem Haus geworden war, streifte mich eins seiner kalten, starren Gliedmaßen. Er war im Sitzen gestorben und lag demzufolge, da die Leichenstarre noch nicht von ihm gewichen war, mit vorgestreckten und gekrümmten Armen und Beinen auf der Bahre. Er erinnerte an ein geschlachtetes Tier, das man, an Vorder- und Hinterfüßen zusammengebunden, über eine Stange gehängt hatte. Die Männer hatten ihn in weiße Tücher geschlagen, die durch Sicherheitsnadeln zusammengehalten wurden. An manchen Stellen klafften die Tücher, und nacktes, von Leichenflecken rosa gefärbtes Fleisch war sichtbar. Ich folgte ihnen bis zum Gartentor, ging ihnen nach auf die Straße, sah zu, wie sie ihn in das Auto schoben, das grau war und auch sonst als

Leichenwagen nicht erkennbar. Die Männer verabschiedeten sich mit stummem, ernstem Kopfnicken. Als sie in die Fahrerkabine stiegen, sah ich, wie der Beifahrer das Radio einschaltete. Ich stellte mich in die Mitte des Fahrdamms und sah ihnen nach, bis sie in die Hauptstraße einbogen. Dann war ich sicher: er war weg. Ich ging zurück ins Haus, langsam, mit ungläubigem Blick auf die veränderten Dinge. Auf dem Weg wird er nicht mehr gehen, die Rose hat er gepflanzt, aber ich werde sie sehen, das Haus hat ihm gehört, und ich werde darin sein. Die Mutter weint um ihn, und ich werde sie trösten. Ich habe gesiegt, dachte ich. Mir blieb die Genugtuung, die Scham darüber und die Gewißheit, daß es so, wie es jetzt war, endgültig bleiben würde, durch nichts mehr zu mildern, jeder Korrektur entzogen, die Antwort war ausgeblieben und konnte nun nicht mehr erfolgen. Ich hätte ihn lieben wollen, bis gestern; heute war er tot.

Daß mein Vater durch meinen Tod nicht zu strafen war, daß ich ihn vielmehr strafte, indem ich lebte, daß ich eine lebende Strafe für den war, der mich gezeugt hatte, minderte nicht mein angeborenes Interesse für den Tod. Je älter ich wurde, um so dringlicher suchte ich seine Nähe, ohne die ich mich wehrlos und ausgeliefert fühlte. Er war meine Garantie für die Vermeidbarkeit von unerträglichem Unglück oder körperlichem Schmerz. Manchmal traf ich mich mit ihm. Wir verabredeten uns auf einem See, im Wald oder bei mir zu Hause. Er kam in verschiedener Gestalt, als Herr in eleganten Kleidern, als behaarter Grobian, auch als

Frau ist er gekommen. Ich buhlte um ihn, nackt legte ich mich neben ihn und bot mich ihm an. Er nahm mich nicht. Er durchschaute mich und wußte, ich würde im letzten Augenblick aufspringen und vor ihm davonlaufen. Er aber hätte sich zu erkennen gegeben. Als er sich mir zu erkennen gab, habe ich ihn zu spät erkannt. Mit einem blaßrosa Menschenmund lächelte er mich an aus einem Hundegesicht, erhob sich auf die Hinterbeine, legte mir seine Pfoten schwer auf die Schultern und tanzte mit mir, während ich meine Hände tief in sein Fell grub und bei ihm Schutz suchte vor ihm, wie ich als Kind im Schoß meiner Mutter Schutz gesucht hatte vor ihrem Schlag, oder wie ich mich später an den Schultern der Männer zu schützen gesucht hatte vor ihren Insektenforscherblicken, die mir galten. Wir tanzten in wilden Drehungen, bis der Rhythmus meines Herzens einem Trommelwirbel glich und der rasende Kreislauf der Farben mich aus dem Gleichgewicht stürzte. Erst als ich aus meiner Ohnmacht erwachte, erkannte ich ihn. Zum erstemmal war er mir als mein eigener Tod erschienen.
Zum letztemmal begegnete ich ihm an Idas Bett. Ein kühler sonniger Tag im September. Auf dem Markt hatte ich für mein letztes Geld Blumen gekauft, dreißig rote Rosen.
Is ja n richtjer Brautstrauß, hatte der Händler gesagt.
Der ist für eine, die stirbt, sagte ich.
Ach na sowat, sagte der Mann.
Ida lag allein in einem weißen Zimmer, ein Schlauch lief von irgendwo unter ihrer Bettdecke in einen Glas-

behälter. Ida röchelte in der Agonie, jeder Atemzug schien sie ihre letzte Kraft zu kosten und Schmerz. Die Rosen stellte ich in einem Uringlas, das die Schwester mir zu diesem Zweck gegeben hatte, auf die Konsole vor dem Spiegel, damit sie sich verdoppelten und damit Ida, falls sie die Augen noch einmal öffnete, sie sehen könnte.

Idas Atem klang unmenschlich wie das eiserne Stampfen einer Maschine. Ich nahm ihre Hand, die heiß war. Ida, sagte ich, vielleicht hörte sie es. Die Rosen stellte ich nach einer Zeit vor das Fenster, so daß ich sie sehen konnte, wenn ich dem Anblick von Idas Gesicht mit der verkrusteten Höhlung, die der Mund war, für einige Sekunden entrinnen wollte. Einmal öffnete sich leise die Tür in meinem Rücken, und die Schwester steckte ihren Kopf durch den Spalt, um zu kontrollieren, ob Ida mit dem Sterben fertig war. Warum kann sie nicht einfach aufhören zu atmen, dachte ich, warum muß der Mensch atmen, wenn es ihn nur noch quält. Streng dich nicht so an, sagte ich zu Ida und streichelte ihren Arm, hab keine Angst und widersprich ihm nicht, er behält doch recht. Sie muß es gehört haben, denn langsam wurde ihre Hand kühler und der Atem ruhiger. Dann waren wir allein in dem Raum, ich und er, und ich sah, wie er Ida endlich, scheinbar sanft, in sich aufsog, während Idas Lunge das Kämpfen aufgab und sich begnügte mit dem, was sie ohne Anstrengung bekam, bis Ida kaum noch atmete, nur hin und wieder noch, und ich von jedem Atemzug glaubte, er sei ihr letzter gewesen. Einer war es dann, ein mattes, erleich-

tertes Ausatmen nur. Es stimmt, dachte ich, der Mensch haucht sein Leben aus.
Die Schwester fragte, ob ich Idas Sachen gleich mitnehmen könnte, wegen des Platzmangels. Aus Ida war schon die letzte Farbe gewichen. Auch das stimmte: Tote sehen wächsern aus. Erst als ich fragte, ob ich irgendwo eine Zigarette rauchen dürfte, sah die Schwester mich an und führte mich am Ellenbogen aus dem Zimmer. Als ich nach fünf Minuten zurückkam, hatten sie Ida weggefahren. Von den Rosen hätte sie ihr drei aufs Bett gelegt, sagte die Schwester.
Danach habe ich ihn nicht mehr getroffen.
Hier unterbrach Rosalind ihren Gedanken, zum einen, weil eine trunkene Fliege in ziellosen Sturzflügen durch das Zimmer schoß und sie mit ihrem aufdringlich monotonen Dröhnen störte, zum anderen, weil der Gedanke, obgleich sie seinen Ausgangspunkt soweit wie möglich vom Augenblick fortgelegt hatte, immer engere Kreise zog und Rosalind, würde sie ihn so fortdenken, wie sie begonnen hatte, bald vor die Frage stellen würde, warum sie überhaupt noch lebte. Auf die Frage gab es keine Antwort, soviel wußte sie aus früheren Anstrengungen, sie zu finden. Sie lebte, weil sie nicht gestorben war – und wenn sie nicht gestorben sind, dann leben sie heute noch. Sie verzichtete darauf, sich der Frage weiter zu nähern.
Sie kauerte in ihrem Sessel, hinter dem Fenster löste der beginnende Tag die grauen Konturen der gegenüber stehenden Häuser zaghaft aus dem Dunkel. Der neue Tag, der sie so wenig anging wie alle neuen Tage, die

ihm folgen würden. Sie war frei, das sagte sie sich immer wieder, und trotzdem endeten ihre Gedanken in den gleichen Fragen, in denen sie früher schon geendet waren. Wie sollte sie so schnell auch ein anderes Denken lernen, dachte sie, Denkwege sind wie Straßen, gepflastert oder betoniert, unversehens ging man sie wie gewohnt, suchte bestenfalls eine bisher nicht wahrgenommene Abzweigung oder schlug sich einen kleinen Pfad nach links oder rechts ins Unbekannte. Ihr verzweigtes System aus Haupt- und Nebenstraßen, Gassen und Trampelpfaden, für ihr bisheriges Leben durchaus tauglich, erwies sich nun als Falle, in der sich jeder Gedanke fing. So, dachte Rosalind, würde alle Gegenwart und Zukunft nichts anderes hervorbringen als die ständige Wiederholung der Vergangenheit, was sie nur langweilen würde und ihr nicht helfen konnte. Geheimpfade, Schleichwege, unterirdische Gänge und Gebirgsgrate brauchte sie. Früher hatte sie solche Wege gekannt. Früher, das war so ein Wort; Ida, erzähl mal was von früher; mit ›früher‹ begannen die prosaischen Märchen. Früher lag nicht so weit zurück wie Eswareinmal, es war aber auch nicht vorgestern. Also in der Zeit zwischen Eswareinmal und vorgestern war Rosalinds Denken geheimnisvolle Wege gegangen, fast so geheimnisvolle wie Marthas Denken. Nur kannte Martha noch Wege durch die Luft, die hatte Rosalind nie gefunden.

Martha traf ich im Sommer vor fünfzehn Jahren. Die Stadt war verlassen. Ich hatte nicht gewußt, wohin ich hätte verreisen sollen, und war zu Hause geblieben. Abends ging ich manchmal in das Café unweit meiner Wohnung, in der Hoffnung, doch noch einen Bekannten zu finden. Immer, wenn ich an das Café kam, saß an einem der abseits stehenden Tische eine junge Frau. Obwohl sie von auffälliger Schönheit war, saß sie immer allein. Sie war sehr zart, hatte dunkle, von schweren Lidern halb verdeckte Augen und fast schwarzes Haar. Vielleicht kamen ihre Vorfahren oder kam sie selbst aus einem südlich gelegenen Land. Wegen ihres fremdländischen Äußeren und wegen ihrer Einsamkeit nannte ich sie für mich die Fremde.

Zuweilen glaubte ich, aus der Richtung des Mädchens ein hastiges, unverständliches Flüstern zu hören. Ich hätte sie gern angesprochen: Guten Tag, wer sind Sie und warum sind Sie so allein. Aber ich wagte es nicht. Die ungewisse Befürchtung, eine Grenze zu überschreiten oder ein heimliches Gesetz zu verletzen, hielt mich zurück. Auch keiner der übrigen Gäste durchbrach die Einsamkeit der Fremden, und es gelang mir nicht, herauszufinden, ob die Fremde ihr Alleinsein wünschte oder ob sie dazu verurteilt war.

Einmal träumte ich von ihr. Wir saßen in einem Lokal, das einem Supermarkt ähnelte und in dessen Mitte sich ein Schwimmbecken befand. Die Fremde und ich saßen einander gegenüber und lächelten uns zu. Ich möchte auch einen Kaffee, sagte die Fremde. Als der Ober kam und den Kaffee brachte, war sie verschwunden. Ich entdeckte sie im Schwimmbecken, wo sie, immer noch lächelnd, einen Kreis schwamm. Danach kam sie an den Tisch zurück. Wieder saßen wir stumm einander gegenüber, bis ich fragte: Wie heißt du. Die Fremde lächelte nervös. Ach ja, sagte sie, stand auf und ging fast schwebend auf das Schwimmbecken zu. Noch zweimal ging sie und kam zurück. Sobald ich ein Gespräch mit ihr beginnen wollte, erhob sie sich still und verschwand in dem grünen Wasser. Nach dem dritten Mal kam sie nicht wieder. Ich suchte sie zwischen den Tischen und zwischen den Schwimmern. Sie blieb verschwunden.

Nach dem Traum beschloß ich, sie anzusprechen. Ich fürchtete, der Traum könnte eine Bedeutung haben und die Fremde könnte sich eines Tages in Erinnerung auflösen wie der Traum und ich würde nie erfahren, wer sie war und warum ich mich ihr so verwandt fühlte.

Am Abend setzte ich mich an ihren Tisch, ohne vorher gefragt zu haben, ob es ihr recht sei.

Guten Abend, sagte ich.

Guten Abend, sagte sie, ohne mich anzusehen.

Ich heiße Rosalind.

Die Fremde hob den Kopf. Ich kenne Sie nicht, sagte sie.

Ich habe von Ihnen geträumt, sagte ich.

Sie betrachtete mich neugierig. Es ist schön, daß ich Sie nicht kenne. Ich kenne die meisten hier.

Warum sind Sie dann immer allein.

Sie musterte mich, als müsse sie erst entscheiden, ob sie eine so wichtige Auskunft erteilen wolle. Dabei zog sie

mit dem rechten Zeigefinger die Linien in ihrem linken Handteller nach.
Ich sprech nicht mehr gern, sagte sie und dehnte das letzte Wort so, daß die Unvollständigkeit des Satzes erkennbar wurde.
Warum nicht, fragte ich.
Sie zögerte wieder, sah abwechselnd auf meine Hände und in meine Augen. Sie stellen mir alle die falschen Fragen, sagte sie. Alle fragen etwas, und alle fragen das Falsche.
Und welche ist die richtige Frage.
Ich weiß noch nicht, aber wenn einer sie stellt, werde ich sie erkennen.
Ich weiß sie auch nicht, sagte ich.
Das macht nichts, sagte sie. Solange man sich nicht kennt, sind die falschen Fragen nicht so langweilig.
Wir tranken Wein.
Warum kommen Sie her, wenn Sie nicht sprechen wollen.
Zum erstemmal lachte sie, ein kicherndes, heimlichtuendes Lachen. Manchmal kommen Fremde, sagte sie, mit denen rede ich. Was ich wissen will, können nur Fremde wissen. Ich weiß nicht warum, es ist ein Geheimnis, aber einmal wird mir einer die richtige Frage stellen. Manche sagen, ich bin irre, glauben Sie, daß ich irre bin.
Ich weiß nicht, sagte ich, was wär schon dabei. Ich hab mal gelesen: wenn die Welt irre ist, liegt im Irrsinn der Sinn.
Ach du lieber Hölderlin, ist alles hin, sagte die Fremde und lachte wieder kichernd und verschwörerisch.

Es ging eine Verführung aus von ihr, ohne daß ich gewußt hätte, wozu ich mich verführt fühlte und wodurch. Es war die Verführung eines Gedichts, das ich nicht verstand und dessen Ton und Schwingung mich doch berührte; oder von Musik, die mich weitete und Fremdheit in die eigene Haut verwandelte.

Wissen Sie, wer mein Vater war, sagte sie. Sie flüsterte und sah sich nach den Nachbartischen um, von denen hin und wieder aufmerksame Blicke auf uns geworfen wurden. Mein Vater ist der heimliche König aller Juden, sagte sie. Vor vielen Jahren wurde er nach Spanien gerufen in einer geheimen Angelegenheit. Er ist nicht zurückgekommen. Sie sagen, er hat sich verlaufen und findet den Weg nicht. Ich sage, sie halten ihn gefangen.

Und Ihre Mutter, fragte ich.

Meine Mutter ist als Kind gestorben, neun war sie oder zehn, eine andere hat mich geboren. Wenn sie mich besucht, zerrt sie mich vor den Spiegel und zeigt auf unsere Ähnlichkeiten. Dabei kreischt sie, jedesmal dasselbe: siehst du, die Augen, dieser Mund, dieses Kinn, wie aus dem Gesicht geschnitten. Ich kann nichts erkennen, alle Menschen haben Augen, Mund und Kinn. Sie will meine Mutter sein, weiß Gott warum, ich mag sie nicht.

Es muß etwas auf sich haben mit dem Muttersein, sagte ich, sie sind alle so, es erhebt sie. Sie fühlen sich zugleich als Sklave und Sklavenhalter, das nennen sie Mutterliebe.

Ich sprach nicht weiter, die Fremde zog versonnen die

Linien in ihrem rechten Handteller nach, als wollte sie ihren Verlauf gewaltsam korrigieren, und schien nicht mehr zuzuhören.
Ich heiße Martha, sagte sie flüsternd, mit einem beschwörenden Blick auf mich, so daß ich den Eindruck hatte, soeben ein großes Geheimnis erfahren zu haben.
Sie nennt mich Bärbel, so hätte sie mich getauft, sagt sie, aber ich heiße Martha.
Der Kellner legte wortlos die Rechnung auf den Tisch. Es war zehn Uhr am Abend, und das Café schloß.
Ich weiß, daß es so nicht gewesen sein kann, als ich Martha zum erstemmal traf, obwohl ich mir nicht vorstellen kann, wie es anders gewesen sein sollte. Es war nicht so, und es war doch so. Ich erinnere genau, wie es an dem Abend weitergegangen war mit Martha und mir. Wir liefen durch die stillen, von grellen Laternen beleuchteten Straßen, und mir schien es, als schöbe sich dieser nächtliche Augenblick über eine frühere Gegenwart wie eine Erdschicht über die andere. Auch Martha, wie sie neben mir lief mit festen Schritten und durchgedrücktem Kreuz, was ihr einen seltsamen, von mir bislang nicht bemerkten Ausdruck von Entschlossenheit verlieh, glaubte ich plötzlich früher schon einmal begegnet zu sein, ihr oder einer anderen, die ihr glich. Da bin ich zur Schule gegangen, sagte Martha und zeigte in das Dunkel einer Seitenstraße.
Daß Martha in eine Schule gegangen war wie ich selbst, fand ich verwunderlich. Für Martha hätte ich eine andere Kindheit erfunden. Ein zerfallenes Schloß

würde dazugehören, wenigstens eine Hütte am Wald oder am See, und statt beamteter Lehrer hätte ich ihr eine märchenerzählende Amme bestimmt.
Warum gehen alle Kinder jeden Morgen wieder in die Schule, sagte Martha. Wie Lämmer trotten sie den verhaßten Weg und wünschen dabei, die Schule möge sich über Nacht in einen schwelenden Schutthaufen verwandelt haben, weil endlich jemand den Mut hatte, sie anzuzünden. Aber sie gehen. Jedes einzelne geht wohl, weil die andern gehen, und so gehen sie alle.
Sie könnten sich verabreden, sagte ich.
Und abends müssen sie einzeln zu ihren Sklavenhaltern.
Sie könnten zusammenbleiben, zu fünft oder zu zehnt, sagte ich.
Trotzdem, sagte Martha, auf ein Kind kommen zwei Erwachsene, Vater und Mutter.
Wir gingen durch einen kleinen und, soweit es in der Dunkelheit erkennbar war, sehr gepflegten Vorgarten.
Ich wohne parterre, sagte Martha.
Alles war anders, als ich es erwartet hatte. Dabei hatte ich mir keine besondere Vorstellung gemacht von Marthas Wohnung, aber ich hatte an eine weniger noble Gegend gedacht, an ein weniger geputztes Haus, sogar die Haustür war verschlossen.
Vielleicht ist Georg noch wach, sagte Martha.
Wer ist Georg.
Mein Mann, sagte Martha.
Ich erinnere die Verwundung, die mir diese beiden Worte damals zufügten, den körperlichen Schmerz,

der mich scharf durchfuhr und mir für einige Momente die Luft benahm. Eben noch war Martha mir als die Einsamste unter den Einsamen erschienen, und ich hatte, ohne es mir einzugestehen, ohne auch darüber nachzudenken, an Marthas Einsamkeit die vage Hoffnung gehängt, wir könnten uns, nur vielleicht und nicht sofort, allmählich eben, miteinander verbünden. Marthas Einsamkeit schien mir dafür zu bürgen, daß wir Abstand halten würden voneinander, weil auch Martha offenbar nicht dazu neigte, ihr Leben leichtfertig mit anderen Leben zu verschmelzen. Aber Martha war eine Ehefrau mit einem Ehemann.

Erstes Zwischenspiel

In diesem Augenblick hörte Rosalind aus der hinteren, vom Morgendämmer noch wenig erhellten Ecke des Zimmers zischelnde Stimmen und das Schurren von Füßen und Stuhlbeinen. Sie sah vorsichtig über die hohe Rücklehne des Sessels und erkannte einen rechteckigen, von einer Kerze beleuchteten Tisch, um den sich mehrere Gestalten versammelten, Männer, dann auch zwei Frauen, alle glaubte sie zu kennen, obwohl sie weder ihre Namen noch den Anlaß ihrer Bekanntschaft erinnerte. Hallo, sagte Rosalind, wie kommen Sie hierher. Was wollen Sie. Hier wohne ich. Die Gestalten hörten nicht oder stellten sich, als hörten sie nicht.
He, sagte Rosalind noch einmal.
Als die Fremden wieder nicht reagierten, blieb ihr

nichts übrig, als still und verborgen von der Sessellehne ihr Treiben zu verfolgen und abzuwarten, was sie vorhatten.
Die Gestalten heben ihre Gläser und nicken sich zu.
Die Frau mit der hohen Stimme:

Auf die Gastgeberin, sie hat sich solche Mühe gemacht.

Der Mann in der roten Uniform:

Wo ist denn die Gastgeberin, es gehört sich, daß sie uns begrüßt.

Der Mann mit der blutigen Nase:

Ja, wo ist die Gastgeberin, das ist wirklich ...

Mitten im Satz hält der Mann erschrocken inne, legt ergeben den Kopf in den Nacken und preßt ein Taschentuch vor die Nase, die wieder zu bluten begonnen hat.
Die Frau mit der eigenen Meinung:

Wenn ich meine Meinung sagen darf, dann finde ich das ziemlich unhöflich.

Sie hüstelt vornehm ihrem Satz hinterher.
Der Mann mit der traurigen Kindheit sagt gar nichts, er sitzt mit zusammengepreßten Knien und steifem Kreuz auf seinem Stuhl und denkt etwas, wahrscheinlich etwas Trauriges.
Der Mann in der roten Uniform:

Ich schlage vor, wir beginnen ohne sie.

Die Frau mit der eigenen Meinung:

Das meine ich auch.

Die Frau mit der hohen Stimme:

O ja, das ist eine herrliche Idee, man muß auch stark sein können.

Der Mann mit der traurigen Kindheit:
Wissen Sie schon, daß ich eine sehr traurige Kindheit hatte.

Der Mann in der roten Uniform, klopft mit den Fingerknöcheln auf den Tisch:
Die Diskussion findet später statt. Kommen wir zur Tagesordnung. Punkt eins: Ordnung und Sicherheit. Punkt zwei: Sicherheit und Ordnung. Punkt drei: Ordenheit und Sicherung. Für uns Feuerwehrmänner die oberste Forderung. Das Gebot der Stunde. Jeder Liter Löschwasser fließt für den Frieden. Bürger, unterstützt die Feuerwehr bei ihrem Friedenskampf. Nur was brennt, kann gelöscht werden. Meldet euch als freiwillige Brandlegehelfer. Zündet eure Häuser an.

Die Frau mit der eigenen Meinung:
Wenn Sie meine Meinung hören wollen, dann sollten Sie solche Dinge von den Menschen nicht verlangen. Das ist die reine Unvernunft: zündet eure Häuser an. Zündet Häuser an, das ist etwas anderes, das kann man sagen, da wird man auch Helfer finden. Darum geht es doch. Oder nicht.

Die Frau mit der hohen Stimme, leert ihr Glas in einem Zug, wobei sie die Hälfte verschüttet, denn ihre Hände zittern vor Erregung:
O, was bin ich verwirrt. Wenn ich mir das vorstelle: der Feuerschein am nächtlichen Himmel. Aber geht es nicht um alles Schöne. Und um das Gute. Als sie damals durch unsere Stadt marschierten, hat Mami die Vorhänge zugezogen und gesagt: das

wollen wir gar nicht sehen, Kinder. Und wo war da unsre schöne Sonnenflut, ausgesperrt von den Vorhängen, am wunderschönsten Maientag. Aber Mami war so ein starker Mensch.

Der Mann mit der blutigen Nase:

Nein, halt, Schluß jetzt. Verzeihen Sie, verzeihen Sie vielmals, aber wenn ich mir das noch länger anhöre, riskiere ich einen Blutsturz, das kann niemand von mir verlangen. Die Rolle der Feuerwehr wird bei Marx ausführlich abgehandelt, ich verweise auf die Grüne Ausgabe Seite einhundertachtundneunzigtausenddreihundertdreiundvierzig folgend. Ausdrücklich wird da gewarnt vor einer Überbewertung der Löschexekutive, die, wie Marx richtig voraussagt, dem Wesen der Feuerwehr nach in der Aufforderung zur Brandstiftung enden muß.

Die Frau mit der eigenen Meinung:

So. Soll das heißen: es soll nicht gelöscht werden. Das ist Anarchie. Es muß gelöscht werden. Zünden Sie doch Ihr Haus an und sehen dann zu, wie es abbrennt bis auf den Grund, und keiner kommt löschen. Ob Sie dann wohl immer noch gegen das Löschen sind. Überbewertung, ha, was das wohl heißen soll.

Der Mann mit der traurigen Kindheit:

Ach bitte, können Sie nicht das Thema wechseln. Jeden Tag mußte ich acht Stunden Schularbeiten machen, über eine Unterbrechung durch das Erscheinen der Feuerwehr wäre ich sehr dankbar gewesen, aber bis zu meinem neunzehnten Lebensjahr hat mir meine Mutter den Umgang mit Streichhölzern verboten. Jetzt bin ich vierzig. Wissen Sie, daß ich nicht lachen kann.

Er zerrt mit den Fingerspitzen seine Mundwinkel auseinander, und als er sie wieder losläßt, fallen die Lippen in sich zusammen und formen wie zuvor den kleinen hängenden Mund unter dem Bart.

Sehen Sie, es geht nicht. Lachen muß man in der Kindheit lernen, und ich hatte eine sehr traurige Kindheit, was bekanntlich gar keiner Kindheit gleichkommt.

Könnten Sie mir vielleicht die Freundlichkeit antun und über das Lachen sprechen.

Die Frau mit der hohen Stimme, setzt ihre Brille ab, zieht ein Taschentuch mit blaßlila Häkelrand aus der Tasche und beginnt zu weinen:

O, wie furchtbar.

Der Mann in der roten Uniform:

Zur Tagesordnung! Auch wir Eisenbahner lachen gern, aber die Voraussetzung für jedes Lachen, ich betone, für jedes, ist Sicherheit und Ordnung. Der Mensch Wiestolzdasklingt wird nicht geboren, um zu lachen, sondern um ein sinnvolles Leben zu führen, wir Eisenbahner wurden geboren, um Eisenbahn zu fahren, dafür wurde die Eisenbahn erfunden. Das steht bei Marx auf Seite sechsundachtzigtausendsiebenhundertsiebenunddreißig in der Gelben Ausgabe, jawohl, und ich verbiete den Widerspruch, für den Sie gerade Luft holen. Ruhe, sonst melde ich Sie Ihrer Dienststelle, oder haben

Sie vielleicht gar keine Dienststelle, haben Sie vielleicht gar keinen Sinn in Ihrem Leben.

Der Mann mit der blutigen Nase stößt die Luft, die er für den Widerspruch in seinen Lungen gesammelt hat, vorsichtig wieder aus, während aus seiner Nase ein Rinnsal hellroten Blutes zu fließen beginnt:

Ich bitte um Verzeihung, aber es ist eine Krankheit, wenn ich bestimmte Sätze nicht sage, blutet sie. Ich war deshalb schon bei verschiedenen Ärzten.

Der Mann in der roten Uniform:

Sehr interessant. Und um welche Sätze handelt es sich dabei.

Der Mann mit der blutigen Nase schweigt, wodurch sich die Blutung sichtlich verstärkt.

Der Mann mit der traurigen Kindheit flüstert:

... nicht geboren, um zu lachen, nicht geboren, um zu lachen, wird geboren, um nicht zu lachen. Das klingt frevelhaft. Ich bin Professor für Mathematik und bin sechzig Jahre alt, weil sie mir zwanzig Jahre gestohlen hat, und zwanzig gestohlene Jahre sind zwanzig Jahre mehr, weil es zwanzig Jahre weniger sind bis zum Tod. Und dann sterbe ich, um nicht gelacht zu haben, das ist unmenschlich, glauben Sie mir, Sie vergessen das Wichtigste, wovon ich leider die Bezeichnung nicht kenne, da es mir als Ganzes nicht gegeben ist. Es ist das Nichts in mir, vorausgesetzt, es wäre etwas.

Die Frau mit der eigenen Meinung:

Professor und redet so ein ungereimtes Zeug daher, beschimpft die eigene Mutter. Zwanzig Jahre hat sie gestohlen. Das ganze Leben hat sie geschenkt, das sagt er nicht, gestohlen, sagt er, über die eigene Mutter. Und gibt selbst zu, daß er ein Nichts ist, ein lebensuntüchtiges Nichts. Ich bin selbst Mutter, ich weiß, wovon ich rede.

Der Mann in der roten Uniform:

Tagesordnung! Tagesordnung! Wir Postbeamte fordern Sicherheit. Wir wollen nicht die Kloake der Gesellschaft sein. Gestohlenes Geld, verlogene Liebesbriefe, womöglich voller orthographischer Fehler, Scheidungsklagen, staatsgefährdende Gedanken, diesen ganzen Schmutz müssen wir mit unseren eigenen Händen berühren. Wir werden gezwungen, Kriminelle zu bedienen und Huren ihre Gelder zuzustellen. Einem ganzen Berufsstand droht die moralische Zersetzung. Von der Gefahr für Leben und Gesundheit durch bakterielle Ansteckung ganz zu schweigen. Wir fordern die Aufhebung des Beförderungsgesetzes. Nieder mit den verschlossenen Briefen! Nieder mit der Zustellpflicht! Her mit dem Gesundheits-Paß für Postbenutzer! Es lebe der freie Postbeamte!

Die Frau mit der hohen Stimme weint immer noch:

Was soll ich nur sagen, vor allem, worüber soll ich nun weinen, es ist alles so furchtbar. Die armen Postbeamten, wie kann ich sie gut verstehen, jeden Tag das viele Scheußliche. Aber die armen schlechten Menschen, sollen sie denn auf ewig ohne Nachricht bleiben vom Guten, verlassen in ihrer Schlechtigkeit. Und die armen Kinder. O, wie bin ich selig über jeden Gruß. Und erst zu Weihnachten, wenn die Päckchen kommen. Mami hat immer gesagt: Kinder, denkt auch an das Bleibende.

Die Frau mit der eigenen Meinung:

Ha, das geht mir zu weit. Da muß man aber eine eigene Meinung haben, nicht ein bißchen hier, ein bißchen da, eine eindeutige eigene Meinung muß man haben. Ich habe die eigene Meinung des Postbeamten, weil ich gegen alles Kriminelle bin.

Der Mann mit der blutigen Nase erleidet den gefürchteten Blutsturz. Aus Mund und Nase quillt ihm schaumiges Blut, spritzt auf das weiße Tischtuch und auf die Kleidung der Umsitzenden, die nun, bis auf den Mann in der roten Uniform, aussehen wie Schlächter oder Chirurgen.

Der Mann in der roten Uniform:

Ich verhänge den Ausnahmezustand! Verhaftet die Gastgeberin!

Die übrigen springen auf und beginnen, das Zimmer zu durchsuchen:

Ja, wo ist die Gastgeberin. Wo hat sie sich versteckt.
Wir müssen sie finden. Wir wollen sie verhaften.

Nach einigen Augenblicken der Unsicherheit traute ich meinen Augen und verfolgte voller Spannung das mir dargebotene Spektakel, in meiner Aufmerksamkeit nur gestört durch eine übermütige Freude, hervorgerufen durch meine wunderbare neue Fähigkeit. Ein nüchternes Delirium, vernünftiger Wahnsinn, Traum ohne Schlaf. Sie spielten und spielten, während ich mir ausmalte, wen ich in Zukunft an mein eben gegründe-

tes Zimmertheater berufen könnte. Jeden, alle, ob ich sie kannte oder nicht, alle könnte ich vor mir tanzen und reden lassen, selbst den Papst, wenn die Lust dazu mich ankäme. Zweifel an der Wiederholbarkeit dieser oder ähnlicher Erscheinungen ließ ich nicht aufkommen, Zweifel hätten meiner imaginären Kraft geschadet, das fühlte ich deutlich. Schon versunken in Pläne für künftige theatralische Ereignisse, hätte ich fast versäumt, die tollkühne Frechheit meiner Gäste in die Schranken zu weisen. Der Mann in der roten Uniform hatte mich gerade hinter meiner Sessellehne entdeckt und stürzte mit schweren Stiefelschritten und einem triumphierenden Leuchten in den Augen auf mich zu.
Ich hab sie, ich hab sie, schrie er.
Halt, rief ich, nicht leise, auch nicht laut. Da mußte er stehen bleiben.
Ich sagte: Wenn ich von Ihrem schändlichen Angriff auf mich absehe, bin ich mit der eben erprobten Form des Umgangs zwischen Ihnen und mir einverstanden. Für die Dauer meines Interesses gebe ich Ihnen Gedankenfreiheit und das Recht der freien Rede. Gewalttätigkeiten gegen mich, Ihre Gastgeberin, sind Ihnen bei Strafe des Vergessenwerdens streng untersagt. Jetzt gehen Sie bitte, und kommen Sie erst wieder, wenn ich Sie rufe.
Nacheinander verließen sie den Raum, nur der traurige Mann blieb unentschlossen im Türrahmen stehen.
Ich bedaure aufrichtig, sagte er, die Herrschaften waren mir unbekannt. Ich verstehe nicht, wie ich in ihre Gesellschaft geraten konnte.

Möglich, daß es mein Irrtum war, sagte ich, ich werde Sie demnächst in eine andere Szene einladen.
Der Mann neigte dankend den Kopf und schritt rückwärts durch die Tür, die sich lautlos hinter ihm schloß.
Um sicher zu sein, daß das eben Erlebte nicht einmalig war, auch um einen bestimmten Verdacht zu bestätigen oder zu entkräften, rief ich, sobald ich allein im Raum war, den Mann mit der blutigen Nase zurück. Es ging zu wie im Märchen. Kaum hatte ich ihn gerufen, schon stand er vor mir.
Bist du Georg, fragte ich.
Ich dachte, du hättest mich gleich erkannt, sagte Georg und lächelte mit einem Mundwinkel ein müdes, alles wissendes Lächeln, das ich an ihm noch nie gemocht hatte.
Wo ist Martha, deine Frau.
Ich war ihr Mann, sie war nicht meine Frau.
Warum hat sie dich verlassen, fragte ich.
Dich hat sie verlassen, nicht mich, bei mir war sie nie. Von mir hat sie nicht mehr gewollt, als ich ihr gegeben habe. Ich sollte ihr ein Leben im Büro ersparen, das habe ich getan.
Dafür hast du sie wie eine Hure gehalten. Wann immer du in ihrer Nähe warst, hast du deine behaarte Hand auf ihren Schenkel gelegt, sogar auf ihre Brust, um allen zu zeigen: das ist mein Fleisch.
Du hast nichts verstanden, Rosalind, sie wollte meine Hure sein. Das war ihre Art, die Wirklichkeit zu begreifen. Wir wollen nicht so tun, als wäre es anders, hat sie gesagt, so lebten die Menschen nun einmal miteinander,

und auch sie müsse sich auf eine konkrete Art in diesen Verhältnissen erfahren, sonst fürchte sie, verrückt zu werden. Wenn sie nicht Gemüse verkaufen wolle und auch sonst nicht herausgefunden hätte, auf welche Art sie nutzen könne, dürfe sie, das sei ihr Privileg als Frau, eine Prostituierte werden. Ich hätte sie gar nicht verletzen können außer durch ein Bekenntnis meiner Liebe, das ihr das Gefühl gegeben hätte, ein Parasit zu sein. Wir waren Geschäftspartner, Martha und ich, jederzeit kündbare Geschäftspartner. Meinetwegen hätte sie nicht gehen müssen, du hast sie vertrieben.
Wasch dir dein Gesicht, sagte ich leise, ich kann deine blutige Nase nicht mehr sehen.
Georg befeuchtete sein Taschentuch mit Speichel und wischte sich das Blut von der Nase.
Setz dich, sagte ich, von euerm Geschäft hat sie nie gesprochen.
Sie dachte, du weißt es, sagte Georg, später merkte sie, daß du es nicht einmal ahnst und daß du sie, hätte sie dich eingeweiht, verachten würdest, noch mehr verachten, als du sie am Ende verachtet hast. Du hast sie doch verachtet.
Ich schwieg. Habe ich Martha verachtet. Ich habe sie später nicht mehr bewundert; die Verführung, die ich anfangs durch sie empfunden hatte, erreichte mich nicht mehr. Ich erinnere ein Gespräch, in dem ich Martha fragte, warum sie nicht arbeite und beweise, was sie könne. Obwohl Martha wie Georg Kunstgeschichte studiert und das Studium mit einem passablen Ergebnis abgeschlossen hatte, arbeitete sie nur aushilfsweise

als Aufsicht im Museum. Sie verstand meine Frage nicht. Ich arbeite doch, sagte sie und wollte mich damit vermutlich an ihre Gedichte und Zeichnungen erinnern.

Warum sie nicht ernsthaft in ihrem Beruf arbeite, fragte ich. Marthas Blick belegte mich mit Fremdheit. Es ist pervers, für Geld zu denken, sagte sie, wahrscheinlich sogar verboten.

Ich arbeitete damals schon zwei Jahre in der Barabasschen Arbeitsstätte, galt als eine talentierte und förderungswürdige Wissenschaftlerin, zudem war ich von einem naiven Ehrgeiz besessen, der mich trieb, mir selbst Kraftproben abzuverlangen, mich nach den schwersten Arbeiten zu drängen. Meinen Willen hielt ich für das gültige Maß der Dinge: wirf den Stein und lauf ihm nach. Schwäche verachtete ich. Es wäre mir nie in den Sinn gekommen zu sagen: ich verachte Schwäche. Ich hätte sogar das Gegenteil behauptet, wäre mir dergleichen unterstellt worden, und ich hätte gesagt, wie tief ich es verabscheute, wenn meine Mutter von lebensuntüchtigen Menschen sprach, und daß ich eine verhängnisvolle Neigung für kleine und zarte Männer hegte. Ich bin sicher, es hätte mir damals niemand erklären können, worin meine Verachtung bestand, denn ich hätte verstehen müssen, was ich nicht verstehen konnte: meine Verständnislosigkeit. Inzwischen weiß ich, daß Schwäche in einen Menschen einbrechen kann wie Kälte in eine Landschaft, unvermittelt und unerwartet; was als sicher galt, wird unerreichbar, das Tun vernebelt sich zum Traum, lähmende Müdig-

keit verschlingt den Aufbruch, und nichts lohnt mehr die Mühe, die es kostet.
Hast du sie verachtet, fragte Georg.
Ich weiß nicht, ich hielt sie für schwach.
Georg stand auf, ging langsam um den Sessel herum, in dem ich saß, und legte mir nachlässig seine schwere Hand auf die Schulter; in jedem Schritt vibrierte Georgs Triumph. So weit hast du es gebracht, sagte er und schlug mir auf die fühllosen Beine, zum Krüppel hast du's gebracht, und traust dich immer noch nicht, die Wahrheit zu denken. Ich kenne sie, weil du mir verwandter bist, als dir lieb ist. Du hast Martha für unnütz gehalten, für nicht nützlich. Gib es zu, wie oft hast du ihr das Wort nützlich zwischen die Augen geschlagen, gib es ruhig zu. Wäre sie nicht meine Hure gewesen, hätte auch ich sie für unnütz gehalten. Der einzige Mensch, dem sie meßbare Nützlichkeit erwiesen hat, war ich. Der Witz ist nur, ich habe das Wenigste an ihr verloren, eine Hure, na und, man nimmt sich eine andere. Aber wenn ich dich ansehe, o Mann, da fallen mir Sätze ein, deren Sinn mir bis heute ein Rätsel war, dir hat es die Seele aus dem Leib gerissen.
Das wohl nicht, nicht ausgerissen, irgendwo rumorte sie noch, bohrte sich Wege durchs Fleisch, raus aus dem Körper, mit dem sie nicht eins werden konnte, oder sie tobte mal in diesem, mal in jenem Organ, fieberte, bis mir heiß und schwindlig wurde und ich sie endlich mit grünen, roten oder weißen Pillen zur Ruhe brachte. Wohin auch mit ihr. Kein Gott mehr, dem man sie weiht, kein Teufel, dem man sie verschreiben

könnte, Gott sei meiner Seele gnädig, wohin mit dem Satz.
Was heißt Seele, sagte ich, ein unliebsames Produkt der Nebenniere und der Hypophyse, der chemische Zustand meines Körpers, ein beliebiger Nebelschwaden künstlicher Erregungszustände. Es gibt keine Schuld, es gibt keine Sünde, es gibt nur gesetzmäßige Entwicklungen gesetzmäßiger Konflikte, deren gesetzmäßige Opfer wir sind. Ich will kein Opfer sein, ich will Schuld sein.
Georg umkreiste mich immer noch mit rhythmischen Schritten, die er wie Ausrufungszeichen zwischen seine Worte setzte.
Um dich lahmbeinig samt deiner Schuld in den Sessel zu setzen und mit der Welt zu rechten. Suchst du nicht gerade meine Schuld in deiner Domäne.
Ich werde mir meinen Teil nehmen, sagte ich.
Georg lachte. Der Mensch im Kampf mit seiner Folgenlosigkeit. Lieber lädt er freiwillig Berge von Schuld auf sich und verwandelt sich unter aller Augen aus einem harmlosen Bürger in einen gefürchteten Bösewicht, als daß er seine Folgenlosigkeit hinnimmt. Du hast gelebt, Rosalind, und nichts ist passiert. Hättest du sie nicht vertrieben, wäre es ein anderer gewesen. Martha war flüchtig.
Ich hörte, wie Georg sich auf das alte Sofa fallen ließ, das hinter dem Sessel stand, und somit meinem Blick entzogen war. Ich fühlte mich unbehaglich.
Und du, fragte ich, hast du Folgen.
Außer den von mir gezeugten Kindern. Nein. Aber es

interessiert mich nicht, weil es nicht von Interesse ist! Global betrachtet, ist es ohne Bedeutung.
Aber dir blutet die Nase, wenn du die richtigen Sätze nicht sagst.
Ach Röschen, ich weiß, das war das einzige, was dich mit mir versöhnt hat: mein ehrliches Nasenbluten. Nichts als ordinäre Hypertonie, Bluthochdruck. Nicht rauchen, nicht aufregen und drei Tabletten täglich. Ich glaube an die Medizin. Seit zehn Jahren kommt meine Nase in keiner Kaderakte mehr vor. Die blutige Nase hat mich nur in deinen Augen verschönt, für alle anderen war sie ein Makel, ein luxuriöser Makel, der mich fünfhundert Mark monatlich gekostet hat, weil man einen Menschen mit einer so verräterischen Nase auf keinen Kongreß schicken kann, zu keiner Beratung auf höherer Ebene, selbst als Vorgesetzter für zwei Untergebene ist er unbrauchbar. Für das eitle Bewußtsein, ein guter Mensch zu sein, ein zu hoher Preis, meinst du nicht, Rosalind.
Ich schwieg.
Nein, meinst du nicht. Du hast dich zurückgezogen auf die sichere Geste der Untat. Hörst du das Wort: Untat. Weißt du, was das ist, keine Tat oder die böse Tat, oder ist keine Tat die böse Tat. Warum antwortest du nicht.
Ich weiß nicht, was eine Tat ist, sagte ich, ich weiß auch nicht, was eine Untat ist. Ich kann nicht mehr sagen: ich tue etwas, weil ... Ich kann nur noch sagen: ich lasse etwas, weil ich nicht weiß, warum ich es tun sollte. Und jetzt geh, geh weg.

*

Noch heute halte ich Menschen, die stehlen und lügen können, für freiere Geschöpfe als die übrigen, die es nicht können. Die Fähigkeit, ein Verbot zu überschreiten, ohne dabei mehr zu leiden, als zu gewinnen, setzt beim Inhaber solcher Fähigkeit entweder ungewöhnliches Vergnügen am eigenen Mut voraus, oder aber, was ich für bewundernswerter halte, dieser Mensch fühlt sich nicht gebunden an eine sich ihm widersetzende Ordnung und bricht sie, wo er sie brechen kann, ohne dabei ein Unrecht zu empfinden. Mir ist diese Eigenschaft aufgrund stark ausgeprägter moralischer Reflexe – eine unausrottbare Folge mütterlicher Erziehung – versagt geblieben. Und wer weiß, ob ich nicht, mit dem Talent des Lügens und Stehlens ausgestattet, mein Leben, fest auf beiden Beinen stehend, bis zu seinem natürlichen Ende bewältigt hätte. So aber blieb mir keine andere Möglichkeit, als in einem einzigen gewaltigen Diebstahl alle Zeit zurückzugewinnen, die mir schon nicht mehr gehörte. Martha konnte lügen und stehlen, womit ich nicht sagen will, sie hätte keine Moral gehabt, sie hatte nur eine andere.

Als ich zum erstemmal erlebte, wie Martha stahl, war ich, trotz meiner heimlichen Bewunderung, erschrokken bis an die Grenze der Empörung. Dabei handelte es sich um einen höchst einsehbaren, geradezu unvermeidlichen Diebstahl. Wir wollten eine Flasche Wein kaufen und sie in der Stunde, die wir an diesem Nach-

mittag Zeit füreinander hatten, in meiner Wohnung trinken. Die Kaufhalle war überfüllt, die meisten Kassen geschlossen, vor den übrigen standen lange Menschenschlangen. Ich schlug vor, auf den Wein zu verzichten. Martha streckte ihren schmalen Rücken, was ihr jenen Ausdruck von Entschlossenheit verlieh, der mich schon einmal an ihr verwundert hatte, griff nach einem Einkaufswagen und zerrte mich ins Gedränge. Sie nahm Butter, Brot, Käse, Wein und steckte sie in eine weiße Plastiktüte, die sie, wie ich später wußte, für solche Fälle immer bei sich trug.
Martha, flüsterte ich, Martha, hör auf.
Martha lachte. Guck nicht so, sonst denken sie, wir sind Diebe, sagte sie und schob mich und den leeren Wagen vor sich her durch den Ausgang.
Als wir wieder sicher auf der Straße standen, sagte ich: Du hast gestohlen, Martha. Martha sah mich verwundert an, denn für sie besagte der Satz nicht mehr als sie wußte, daß sie gestohlen hatte. Für mich aber, und das belegt meine innere Verwirrung, war er der äußerste Ausdruck meiner Mißbilligung. Du hast gestohlen; was könnte man einem Menschen Schlimmeres sagen. Du hast getötet. Aber was sonst.
Martha war enttäuscht. Ach Rosalind, sagte sie, du verstehst weniger, als ich dachte. Ich wollte dir eine Freude machen.
Wir standen am Rinnstein, die Tüte mit dem Diebesgut trug Martha, und ich fühlte mich neben ihr grob und unbeholfen, wie ich mir manchmal Kindern gegenüber steif und plump vorkam.

Trotzdem, sagte ich, wußte nicht, was ich damit ausdrücken wollte, wußte nur, daß Stehlen außerhalb meiner Fähigkeiten lag oder so: ich konnte einfach nicht klauen, und zum erstemmal dachte ich darüber nach, ob es denn gut war, nicht klauen zu können, und was mich hinderte, wie Martha selbstverständlich in die Regale zu greifen.

Ich kann es eben nicht, sagte ich.

Du kannst es ja lernen, sagte Martha, ich habe es auch erst lernen müssen. Als Kind habe ich mit meinem Vater eine Schiffsreise gemacht auf einem roten Dampfer. Wir wurden von Piraten überfallen, aber auf dem Dampfer gab es nichts zu stehlen. Da haben die Piraten, die wahrsceinlich Nachwuchsprobleme hatten, alle Passagiere vor die Wahl gestellt, selbst Piraten zu werden oder über Bord zu springen, bis auf Greise und Kinder natürlich. Ich war schon alt genug. Mein Vater und ich meldeten uns für ein Jahr freiwillig zu den Piraten. Da habe ich alles gelernt. Der Chef der Piraten war ein Mathematikprofessor, die meisten Piraten waren Wissenschaftler, Maler oder Dichter. Sie kamen aus allen möglichen Ländern und hatten sich vorgenommen, den Nutzen des Nutzlosen zu erforschen. Da ihnen niemand dafür Forschungsmittel bewilligte, mußten sie das Geld durch Piraterie erwerben. Der Professor sagte eines Tages zu mir: Zwei Dinge sind wichtig, Martha. Das erste ist: du mußt deine nutzloseste Eigenschaft herausfinden. Denn schon ehe du geboren wurdest, hat man dich statistisch aufbereitet und deinen möglichen Nutzen errechnet: die durch dich verursachten Kosten im Kindesalter, die Verwendbarkeit während der Arbeitsphase, die zu erwartenden Nachkommen, die wieder entstehenden Kosten im Alter bis zum statistisch ausgewiesenen Sterbealter, kurz: deine Rentabilität ist veranschlagt und wird erwartet. Du kannst aber die Statistiker überlisten, indem du etwas in dir findest, das sie nicht verwenden können. Deinen Kopf bauen sie einer Maschine ein, deine Arme machen sie zu Kränen, deinen Brustkorb zum Karteikasten, deinen Bauch zur Müllhalde. Aber in jedem Menschen gibt es etwas, das sie nicht gebrauchen können, das Besondere, das Unberechenbare, Seele, Poesie, Musik, ich weiß keinen passenden Namen dafür, eben das, was niemand wissen konnte, ehe der Mensch geboren war. Dieses scheinbar nutzloseste Stück von dir mußt du finden und bewahren, das ist der Anfang deiner Biografie.

Das zweite ist, sagte der Professor: wenn du es gefunden hast, wirst du, um es zu verteidigen, wohl oder übel das Stehlen lernen müssen. Ob man ein Dieb werden will oder nicht, ist in der heutigen Welt eine einfache Rechenaufgabe. Ein Mensch lebt durchschnittlich siebzig Jahre, das sind fünfundzwanzigtausendfünfhundertfünfzig Tage, davon mußt du siebentausenddreihundert abziehen, das sind die ersten zwanzig Jahre, über die der Mensch nicht frei verfügt, bleiben achtzehntausendzweihundertfünfzig. Du mußt ausrechnen, wieviel du davon für dich brauchst und wieviel du ausgeben kannst für sinnlose, aber gewinnbringende Tätigkeit, für aufwendige Überlebenstechniken wie Einkauf und sonstige Beschaffungsaktionen, für

Anstand und Konvention. Ich befürchte, auch wer sich scheut, ein Berufsdieb zu werden, kann ohne ein bißchen Diebstahl nicht auskommen, hat der Professor gesagt. Wir hatten eine Stunde Zeit, die hätten wir an der Kasse zerstanden, um den Wein zu kaufen. Jetzt haben wir die Stunde und den Wein. Es ging nicht anders, sagte Martha.

Von allen Absonderlichkeiten in Marthas Wesen verursachten mir ihre Lügengeschichten die geringsten Schwierigkeiten. Ich begegnete ihnen mit der gleichen Freiheit, in der Martha sie erfand. Ich glaubte sie oder glaubte sie nicht, wie es mir gefiel. Sie bereiteten mir in jedem Fall Vergnügen, und ihr eigentlicher Wahrheitsgehalt wurde von mir nie angezweifelt. Erst einige Jahre später begann ich, hämisch zu registrieren, wenn Martha sich in Widersprüchen verfing, um ihr jedes unstimmige Detail in frohlockender Rechthaberei vorzurechnen.

Es war nicht leicht, herauszufinden, ob Marthas Geschichten wahr oder gelogen waren oder wo innerhalb der Geschichten die Grenze zwischen Erfindung und Wirklichkeit verlief. Sicher hatte Martha als Kind mit ihrem Vater eine Dampferfahrt gemacht, vielleicht war der Dampfer sogar rot, was ich aber bezweifle. Möglich ist auch, daß sich auf dem Dampfer ein Mathematikprofessor befand, der Martha über den Sinn des Stehlens belehrt hat, möglich aber auch, daß er ihr nur Bonbons geschenkt hat, und ein beliebiger anderer Mensch hat übers Stehlen gesprochen oder auch keiner, und Martha hat ihn nur erfunden, damit ihre absonderliche Theorie

vor mir größere Autorität gewinnt. Daß der Professor obendrein ein Pirat sein mußte, war ein Luxus, den ich ihr damals noch nachsah.
Nur warum Martha sich so verbissen wehrte, das Kind ihrer Eltern zu sein, verstand ich nicht. Die Bemerkung, die ich bei unserer ersten Begegnung im Café als Scherz genommen hatte, daß Marthas Mutter als Kind gestorben sei und eine andere sie geboren hätte, erwies sich dann von Marthas Seite als unbegreiflicher Ernst. Auch ihr Vater, den ich kennenlernte – ein niederer Angestellter einer Berliner Polizeibehörde –, war nicht der Mann, von dem Martha sprach, wenn sie ihren Vater meinte. Es war tatsächlich schwer, sich vorzustellen, woher diese unscheinbaren Leute die achtundvierzig Chromosomen, die sie für Martha gebraucht hatten, genommen haben sollen. Beide waren blond und hellhäutig, an ihre Gesichter kann ich mich nicht erinnern, weiß nur, daß sie weder durch Schönheit noch durch Häßlichkeit auffielen. Beide sprachen sächsischen Dialekt, sie stammten aus der Gegend um Leipzig, Martha sprach, wenn überhaupt, Berliner Dialekt, meistens aber Hochdeutsch. Martha sei eben schon als Kind nach Berlin gekommen und hätte sich noch umgewöhnen können, sagte die Mutter, stärker als der Vater betroffen durch Marthas Behauptung, diesem Mann und dieser Frau zwar Nahrung, Kleidung und eine gewisse Fürsorge zu danken, keinesfalls aber ihr Leben. Der Vater hielt seine Tochter schlicht für übergeschnappt, während die Mutter verzweifelt um ihre biologische Anerkennung kämpfte. Wir hatten ja so

schöne Fotos von ihr, erzählte sie mir, von klein auf hat mein Mann sie fotografiert, zum Fasching im Kindergarten, zur Einschulung, und wie sie Junger Pionier geworden ist. Und die Jugendweihe, so ein hübsches Kleid hat sie gehabt, mit Stuartkragen und weißen Manschetten, bildschön, aber sie hat alle Fotos verbrannt, nicht eins hat sie uns gelassen. Dabei hat sie es immer gut gehabt, wir haben sie nie geschlagen, mein Mann nicht, und ich schon gar nicht, nicht eine Ohrfeige hat sie von uns bekommen. Ich versteh das Mädel nicht, sagte die Mutter und weinte. Als Martha mit dem Tee aus der Küche kam, wischte sie sich die Tränen aus den Augen und lächelte, als wollte sie sich entschuldigen für diese neuerliche Entgleisung ihrer Gefühle. Martha bemerkte nichts von dem Unglück der Frau, der sie nicht erlaubte, ihre Mutter zu sein, oder wollte es nicht bemerken. Mir tat die Mutter leid.
Martha, flüsterte Rosalind, Martha Mantel. Warum fiel ihr nur ein, worin sie sich unterschieden, Martha und sie. Damals hatte sie tiefe Gemeinsamkeit empfunden, tiefer als später mit irgendeinem anderen Menschen, selbst als mit Bruno. Suchte sie jetzt, indem sie Martha suchte, nicht schon die Gründe für ihren späteren Verrat, wurde darum Marthas Bild in ihr nicht wirklich lebendig, sondern blieb schemenhaft wie die Silhouette in einem Kindermalbuch, nur durch einige grelle Farbkleckse von ungeschickter Hand belebt.

Es war Tag geworden. Aus dem Treppenhaus und von der Straße drangen Geräusche durch das Gemäuer, eilige Schritte auf dem Weg in die Schule, in ein Büro, wer in die Fabrik mußte, ist schon vor ein oder zwei Stunden gegangen. Ein Geruch aus Seife, Kölnisch Wasser und Zahnpasta, vernebelt durch Zigarettenrauch, hing jetzt im Hausflur, wie jeden Morgen. Die Sonne benutzte einen wippenden Zweig vor dem Fenster für wilde Schattenspiele auf der weißen Wand. Rosalind versuchte, den Schatten zu beleben. Langes schwarzes Haar, ein schmaler Rücken mit durchgedrücktem Kreuz, die weiche, ausholende Bewegung der Arme. Die Blätter des Zweiges flatterten in ihrem Schatten wie gefangene Vögel, und es dauerte lange, ehe sich, verschwommen zuerst, dann zunehmend schärfer, eine Figur löst aus dem wirren Spiel. Nur ist die Figur nicht, wie erhofft, Martha, sondern sie selbst, Rosalind, sitzt vor einer weißen Wand, die eine Gefängniswand ist. Der Raum, in dem ich mich befinde, ist grellweiß getüncht, die wenigen Möbel, ein schmales Bett, ein Tisch, ein Stuhl, sind ebenso weiß. Alles ist sehr sauber. Trotzdem ist das ein Gefängnis, weiß ich, die Fenster vergittert, die Tür verriegelt, von außen. Ich weiß nicht genau, wie lange ich schon hier bin, nicht sehr lange, aber länger als nur einige Stunden. Ich muß hier schon die Nacht verbracht haben, denn das Bett ist zerwühlt, und ein Nachthemd, mit einem schwarzen Stempel am Saum, hängt über dem Stuhl. Ich versuche, die Stempelschrift zu entziffern, aber sie ist unleserlich vom häufigen Waschen. Ich sitze auf dem Bett, ungekämmt und ungewaschen, was mir in so befremdlicher Umgebung Unbehagen bereitet, und überlege, ob ich Angst habe. Mein Puls schlägt ruhig, der Magen ist nicht spürbar, die Haut kühl und trokken. Ich habe keine Angst, ich bin nicht einmal aufgeregt. Das wundert mich, denn bislang hat mich keine Vorstellung, außer der Gedanke an körperliche Mißhandlung, so geängstigt wie die, in einem Gefängnis eingesperrt zu sein. Gefängnis müßte für mich notwendig mit dem Tod enden, dachte ich, weil ich mich vor Angst selbst umbringen würde oder weil ich vor Zorn und Ohnmacht Amok laufen würde, bis man mich zusammenschlüge. Aus Furcht vor dem Gefängnis habe ich mich mein Leben lang an alle Gesetze gehalten, bis auf dieses eine Mal, für das ich nun hier bin. Daß ich mich in diesem Fall habe hinreißen lassen, erstaunt mich ebenso wie die Tatsache, daß ich jetzt nicht ein Anzeichen von Angst in mir finde. Ich habe nicht in Unwissenheit gehandelt, auch nicht im Affekt, obwohl ich sicher bin, daß man mir es gern so auslegen würde. Es würde allen die Sache erleichtern: eine unbescholtene Bürgerin, der die Nerven durchgegangen sind. Aber das werde ich ihnen nicht gestatten, ich werde mir meine Tat nicht wegnehmen lassen. Bei dem Gedanken an die Tat steigt eine Erregung auf in mir, die sich in einem Lachen entladen will, aber irgendwie verbietet es sich, in dieser kahlen weißen Zelle zu lachen. Angesichts der spürbaren Folgen scheint es mir unangemessen, über die Tat zu lachen. Aber wenn sie mich nach den Gründen für meine Handlungsweise befragen werden, sicher wird bald jemand kommen und mich zum Verhör rufen, werde ich nicht versuchen, meine Schuld zu mindern. Ich werde ihnen alles erklären, auch die Lust, die ich empfunden habe während der drei Stunden und sogar noch zuletzt, als unsere Niederlage, an der es von Anfang an keinen Zweifel gegeben hatte, endgültig feststand und auch die letzte große Schaufensterscheibe krachend zersplitterte. Ich wüßte gern, wen von allen Beteiligten man noch hierher gebracht hat, alle bestimmt nicht, das wären zu viele, nur die Anführer, die man später in den Akten als die Rädelsführer bezeichnen wird. Vielleicht haben sie wenigstens Martha laufen lassen, weil sie so zart ist und weil man ihr, wenn man sie sieht und sprechen hört, Rädelsführertum nicht zutrauen kann. Wie sie Clairchen abgeführt haben, habe ich selbst gesehen. Fünf Polizisten wurden dazu gebraucht, denen Clairchen ihre zwei Zentner abwechselnd gegen die Brust warf, daß sie taumelten, bis man sie endlich doch zu fassen kriegte, an Armen, Beinen, Kopf und Clairchen nur noch unflätige Schimpfworte brüllen konnte. Es ist möglich, daß Clairchen ganz in meiner Nähe sitzt, vielleicht sogar in der Nebenzelle, und ich bedaure, keine Klopfzeichen zu kennen. Eine Gruppe junger Leute fällt mir ein, über die ich gelacht habe, weil sie, gesetzestreu und frei wie ich, in ihrer Freizeit eine Art Knasttraining betrieben. Zu ihrem Programm gehörten Hunger-, Einschlaf- und Kurzschlafübungen und Morsen.

Plötzlich springt die Tür zu meiner Zelle auf. Eine hünenhafte weibliche Person tritt stumm in den Raum und sieht mißbilligend auf mein unordentliches Bett. Etwas

an dieser Person wirkt zugleich furchteinflößend und lächerlich, ein Widerspruch in ihrer Erscheinung, den ich empfinde, aber nicht benennen könnte.
Untersuchungsgefangene Polkowski, folgen Sie mir, sagt die Frau, in der ich meine Wärterin vermute. Sie hat eine tiefe, fast männliche Stimme, und ich verstehe augenblicklich, was das Beängstigende und Komische an dieser Frau ausmacht. Es scheint, als wäre sie aus zwei Personen zusammengesetzt, als hätte man dem Körper eines athletischen Mannes den Kopf einer jungen zartgliedrigen Frau aufgepflanzt. Offenbar ist sie sich ihrer paradoxen Körperlichkeit bewußt, denn sie bemüht sich, den Ausdruck ihres weichen und rosigen Gesichts der brutalen Wirkung ihres Körpers anzugleichen, indem sie ihre Augen starr auf das jeweilige Ziel richtet und die Zähne ständig fest aufeinanderbeißt, so daß Kinn und Kieferknochen sich kräftig unter der samtigen Haut abzeichnen. Sie verschließt die Tür meiner Zelle, rechts, sagt sie, und ich folge ihr. Ungläubig sah Rosalind, wie sie neben der Wärterin durch den weißen Gang lief. Die Fußböden sind mit dickem, jedes Geräusch schluckendem Schaumgummibelag gepolstert, und mir erklärt sich, warum ich während meines Aufenthalts in der Zelle niemals Schritte gehört habe, nicht einmal, bevor die Wärterin meine Tür öffnete. Rosalind konnte sich angesichts der gerade erlebten Offenbarung nicht mehr beherrschen. Es ist unglaublich, rief sie gegen die weiße Wand, es ist phantastisch, noch phantastischer, als ich dachte. Ich kann sie nicht nur alle hierher rufen, ich kann auch überall hin-

gehen, weggehen, die Tür öffnen und den Raum verlassen. Indessen, unbeirrt durch Rosalinds Jubel, gehe ich vorbei an den dicht aufeinanderfolgenden Türen, die keine Nummern tragen oder andere Hinweise, was mich irritiert, denn wenn das hier ein Gefängnis ist, und was sollte es sonst sein, liegen hinter diesen Türen Gefängniszellen, und die tragen für gewöhnlich Nummern. So war es jedenfalls in allen Filmen über Gefängnisse, die ich kenne. Erst jetzt bemerke ich, daß meine Bewacherin eine Uniform trägt, die ich noch nie gesehen habe. Sie ist von bräunlich violetter Farbe und, wie es scheint, aus gutem Material, ein leichtes dünnes Wolltuch, das es in den Geschäften nicht zu kaufen gibt. Außerdem fehlen die Rangabzeichen. Vor einer der vielen Türen bleiben wir stehen, die Wärterin mustert mich vom Kopf bis zu den Füßen. Wahrscheinlich prüft sie, ob sie mich in diesem Zustand übergeben kann. Dann öffnet sie, ohne anzuklopfen, die Tür. Untersuchungsgefangene Polkowski, sagt sie und verschwindet.
Der Mann steht vor dem Fenster, den Rücken mir zugekehrt. Sie können sich setzen, sagt er. Er ist mittelgroß und schlank, seine Stimme klingt eher mild als scharf, obwohl – das glaube ich, aus dem kurzen Satz schließen zu können – Schärfe ihr zu Gebot steht.
Sie wissen, warum Sie hier sind, sagt der Mann, immer noch mit dem Rücken zu mir. Und setzen Sie sich endlich.
Ich setze mich.
Von wem stammt der Plan für den Überfall, fragt der Mann.

Es war kein Überfall, und es gab keinen Plan, sage ich.
Unter den Verhafteten befinden sich Martha Mantel und Clara Winkelmann, beide enge Freundinnen von Ihnen. Wollen Sie behaupten, Sie hätten sich alle drei zufällig zu diesem Zeitpunkt in der Kaufhalle aufgehalten.
Martha Mantel lebt seit Jahren im Ausland, und Clara Winkelmann ist tot, sage ich, weiß im selben Augenblick, daß ich mich irre, und bin verwirrt.
Lassen Sie die dummen Späße, sagt der Mann.
Wir waren zusammen, uns ist der Wein ausgegangen, sage ich, erleichtert, weil ich mich jetzt wieder genau erinnere.
Warum ist nicht nur eine von Ihnen gegangen, um den Wein zu kaufen.
Ich sehe auf den Rücken vor dem Fenster. Der Mann steht sehr gerade, auch wenn er spricht, bewegt er sich nicht. Warum dreht er sich nicht endlich um.
Es hat sich anders ergeben, sage ich.
Sie scheinen den Ernst Ihrer Situation nicht zu erkennen. Sie haben die Versorgung der Bevölkerung sabotiert, der Staatsmacht widerstanden, Sie haben rowdyhaft Volkseigentum zerstört und den sozialistischen Staat verleumdet.
Sabotage und Verleumdung ist nicht richtig, sage ich, als wir kamen, wurde schon sabotiert, von dreizehn Kassen waren zehn geschlossen. Verleumdet haben wir auch nicht. Was wir gesagt haben, stimmt.
So, sagt der Mann und dreht sich um. Er sieht aus wie Robert Redford.

Frau Polkowski, sagt Redford streng, Sie waren uns bisher als vernünftige Person bekannt, jedenfalls haben Sie die Gesetze respektiert.
Warum war ich Ihnen bekannt, wenn ich nie die Gesetze verletzt habe, sage ich.
Der Mann sieht wirklich aus wie Robert Redford. Natürlich weiß ich, daß jeder ihnen bekannt ist, aber ich habe mir vorgenommen, dem Mann alles zu erklären, und dazu gehört, daß ich ihm diese unter anderen Umständen überflüssige Frage stelle.
Redford lächelt. Hätten wir besser auf Sie aufgepaßt, müßten wir beide uns jetzt nicht unterhalten. Vielleicht hätten wir Sie vor Ihrem Fehltritt bewahren können. Ich fühle mich mitschuldig an Ihrem Vergehen. Wir hätten genauer wissen müssen, was in Ihnen vorgeht.
Ich suche in Redfords Gesicht einen Zug von Hohn oder Spott, aber er wirkt eher besorgt. Väterlich. Er ist nicht älter als ich, wie kommt er dazu, mich väterlich zu mustern.
Sehen Sie, sagt er, in einem anderen Fall, auf den wir stolz sind, haben wir einen jungen Mann vor einer großen Dummheit bewahren können. Wir beobachteten an ihm eine zunehmende Aggressivität, wir kannten auch seinen schlechten Umgang. Es war abzusehen, daß er bald straffällig werden mußte. Kurz davor holten wir ihn zu uns, behandelten seine psychischen Abweichungen, bis er wieder ein brauchbares Mitglied unserer Gesellschaft war. Das dauerte ein knappes Jahr, die Straftat hätte ihm eine längere Haftzeit eingebracht. Der Junge ist uns heute dankbar.

Ich schweige, mich irritiert die Ähnlichkeit des Mannes mit Redford. Er bietet mir eine Zigarette an. Als er mir Feuer gibt, beugt er sich zu mir herunter. Es ist mir peinlich, daß ich ungekämmt und ungewaschen bin. Ich kann Robert Redford nicht ausstehen. Trotzdem ist mir der Gedanke, der Mann könnte mich häßlich oder sogar abstoßend finden, unerträglich. Als wäre es von Belang, ob der Henker den Hals des Opfers bewundert. Ich schäme mich, weil ich dem Mann gefallen will, und ich glaube, er weiß das.

Frau Polkowski, beschreiben Sie bitte den genauen Hergang der Tat.

In der Zelle wußte ich genau, was ich auf die Frage antworten will. Und jetzt scheint mir keiner der zurechtgelegten Sätze ausreichend, um mich dem Mann verständlich zu machen.

Dann verlese ich Ihnen den vorliegenden Bericht, sagt er, nimmt eine maschinenbeschriebene Seite von seinem Schreibtisch und liest vor: »Am Mittwoch, dem 17. 9., kurz nach siebzehn Uhr betraten die Beschuldigten Rosalind Polkowski, Clara Winkelmann und Martha Mantel die Zentrale Versorgungseinrichtung Becherstraße, Stadtbezirk Pankow, die infolge der gerade vorhandenen Haupteinkaufszeit verständlicherweise von mehr Bürgern besucht war als zur Nichthaupteinkaufszeit. Die drei Beschuldigten befanden sich in einem angetrunkenen Zustand. An der Kasse provozierten sie die dort anstehenden Bürgerinnen und Bürger, die notwendigen Wartezeiten zu mißachten und die Waren ohne Bezahlung durch die Kassen zu befördern.

Dabei nutzten sie die Übermüdung der mitgeführten Kinder, deren Geschrei Nervosität unter den einkaufenden Bürgern verbreitete, um ihre strafbare Absicht in die Tat umzusetzen. Es gelang ihnen, einige Bürgerinnen und Bürger zum Diebstahl am Volkseigentum zu verleiten. Als die durch die Leitung der Versorgungseinrichtung benachrichtigten Genossen der Bereitschaftspolizei ihrer Ordnungspflicht nachkommen wollten, verbarrikadierten die oben genannten Personen den Eingang, so daß sich unsere Genossen den Zutritt durch die Schaufensterscheiben verschaffen mußten. Weiterhin verstreuten die Beschuldigten in den Gängen der Versorgungseinrichtung Erbsen und vergossen große Mengen Spülmittel, worauf sie sich hinter dem Fleischstand verschanzten, von wo aus sie die Angehörigen der Ordnungsorgane mit den zur Versorgung der Bevölkerung bereitgestellten Kaßlerknochen bewarfen. Zahlreiche Genossen wurden verletzt, darunter sind fünf Beinbrüche zu verzeichnen. Die Tat wurde begleitet durch wiederholte Verleumdung des sozialistischen Handels und seiner Repräsentanten. Erst durch den Einsatz eines Wasserwerfers konnten die antisozialistischen Kräfte überwältigt werden. Der entstandene Schaden beträgt 123 456 Mark.«

Bestreiten Sie die hier geschilderten Tatsachen, fragt er.

Nein, sage ich und bemühe mich dabei zu verbergen, wie tief er mich eben gekränkt hat. Er hat meine Tat, die ich mir auf keinen Fall wegnehmen lassen wollte, lächerlich gemacht, sogar vor mir, meine eigene Tat.

Können Sie mir Gründe für Ihr Vergehen nennen.
Eine andere Tat stand nicht zur Verfügung, sage ich. Ich habe den Aufstand in der Kaufhalle nicht gemacht, weil ich etwas Bestimmtes wollte; ich habe ihn gemacht, weil ich nicht keinen Aufstand machen wollte.
Der Mann setzt sich mir gegenüber und sieht mir in die Augen, wie Robert Redford in dem Film »Butch Cassidy and the Sundance Kid« Katherine Rose in die Augen gesehen hat.
Ihnen fehlt ein Ziel, Frau Polkowski, sagt er mit Sorge in der Stimme. Sie haben keinen Lebensinhalt. Wissen Sie, wohin dieser Weg führt. In die Einsamkeit, in die Trunksucht, in die Kriminalität, in den Selbstmord. Sie müssen Ihren Platz in der Gesellschaft finden.
Obwohl ich es verhindern will, obwohl ich schlucke und schlucke, um es wegzuschlucken, höre ich entsetzt, wie das Lachen dennoch aus meinem Mund in den Raum springt. Es wird noch schlimmer. Ich fange an zu singen. »Du hast ja ein Ziel vor den Augen« singe ich bis »denn die Welt braucht dich genau wie du sie«. Danach lache ich wieder, ein schrilles unangenehmes Lachen, höre ich, dann ist der Anfall vorbei, Gott sei Dank. Ich atme nur noch schwer.
Kennen Sie das, frage ich den Mann, das habe ich als Kind gesungen. Und geglaubt. Ich war sicher, das stimmt, daß die Welt mich braucht. Um ein Ziel vor den Augen zu haben, brauche ich inzwischen einen Spiegel. Mein Ziel bin ich.
L'état c'est moi, sagt Redford, und jetzt lacht er, laut, zu laut.

Sie mißverstehen mich, ich, nicht der Staat, sage ich.
Er wird ernst. Ich verstehe, der Rückzug ins Private. Davon haben wir aber nichts bemerkt, Frau Polkowski.
Ich bin nicht privat, sage ich, ich weiß gar nicht, was das ist. Früher stand manchmal »Privatweg« an kleinen Straßen, die man nicht betreten durfte, die Wege gehörten Besitzern. Ich gehöre mir nicht. Sogar meine Geheimnisse sind nur Geheimnisse, weil Sie verbieten, sie auszusprechen.
Durchaus nicht, sagt er, ich bitte Sie, Ihre Geheimnisse auszusprechen. Sie werden bei uns noch viel Zeit und Gelegenheit haben, das zu tun. Er drückt auf den kleinen roten Knopf an seinem Telefon, die Tür öffnet sich, und meine Bewacherin tritt ein.
Es reicht, sagte Rosalind, die Wärterin wird jetzt nicht gebraucht, gehen Sie ab. Und Sie setzen sich hin. So schnell ändert sich die Lage, Herr Hauptmann, oder Leutnant oder was Sie waren. Jetzt sind Sie mein Gefangener. Jeder Fluchtversuch ist sinnlos. Sitzen Sie locker.
Der Mann legte gehorsam das rechte Bein über das linke Knie.
So, sagte Rosalind, das war ein sogenanntes Rollenspiel. Ich habe Sie und mich glauben lassen, ich hätte einen Aufstand in der Kaufhalle angezettelt. Ein unerfüllter Traum von mir. Unerfüllt, weil ich wußte, wie schwer Sie das Vergehen ahnden würden. In Wirklichkeit bin ich nicht sehr mutig, eher feige. Allerdings habe ich mir Ihre Methoden anders vorgestellt, weni-

ger mild. Hat man Ihnen schon gesagt, wie ähnlich Sie Robert Redford sind.
Sie haben es bemerkt, sagte der Mann und hob stolz seinen Kopf, den er bis dahin in eine Hand gestützt hatte. Das ist sozusagen meine Dienstkleidung, ich verhöre auch nur unsere weiblichen Häftlinge, an Männern verfehlt dieser Typ die Wirkung, im Gegenteil: sie reagieren eher aggressiv, weil sie unbewußt den anderen Part, die Rolle des Gegenspielers übernehmen, wie die Frauen übrigens auch, nur ist deren Rolle eine andere. Ihre Reaktion war durchaus typisch, klassisch geradezu: mädchenhaft unsicher, schamhaft und, geben Sie zu, Sie wollten mir gefallen. Ich bin nicht der einzige Künstler in meiner Dienststelle, wir sind auf die verschiedensten Alters- und Interessengruppen eingestellt. Wir verfügen über John Lennon, Elvis Presley, bis vor zwei, drei Jahren hatten wir sogar noch den jungen Clark Gable, inzwischen hat dieser Genosse allerdings Humphrey Bogart übernommen. Seit wir mit dieser Methode arbeiten, erzielen wir ganz überraschende Erfolge, und wir können auf vorher unerläßliche Formen der Wahrheitsfindung verzichten, die, das können Sie mir glauben, auch uns keine Freude bereitet und uns zudem immer wieder häßlichen Verleumdungen ausgesetzt haben. Die Menschen, mit denen wir zu tun haben, sollen Vertrauen zu uns gewinnen. Durch Umfragen wissen wir, welcher Menschentyp von den jeweiligen Zielgruppen als vertrauenswürdig empfunden wird. Die Vorarbeiten der Medien sind dabei für uns von unschätzbarem Wert. Sie bereiten die von uns angestrebte

Wirkung vor, indem sie einen bestimmten Typ langfristig als vertrauenswürdig präsentieren. Wir brauchen dann nur noch gute Chirurgen, und unsere halbe Arbeit ist getan; die verbleibende Hälfte wird getragen von den schönsten menschlichen Gefühlen wie Zuneigung, Liebe und Vertrauen. Das ist immer wieder ein erhebendes Erlebnis.
Rosalind wurde ungeduldig. Sie geraten ins Schwärmen, sagte sie, aber Sie haben, wie ich sehe, einen Lebensinhalt. Sie haben ein Ziel vor den Augen, und die Welt braucht Sie.
Das ist richtig, sagte Redford, und das macht mich glücklich. Jeder Mensch ist glücklich, wenn er sich nützlich fühlt. Sie sind unglücklich, weil Sie sich unnützlich fühlen.
Was ist nützlich, sagte Rosalind, nützlich wäre es, Katzen totzuschlagen, es gibt zu viele, und auf ihre Felle sind Prämien ausgesetzt. Wir können das Gespräch beenden. Noch drei Sätze, und Sie sprechen über Sicherheit und Ordnung. Das kenne ich schon. Bye, Mister Redford, und grüßen Sie Bogi.

Der Mann löst sich geräuschlos in Nichts auf, und ich, erschöpft von der Begegnung mit ihm, hocke in meinem Sessel und muß an Clairchen denken, die sich, unverhofft und von mir nicht gerufen, in die Ereignisse gemischt hat. Ich habe nicht mehr an sie denken wollen, weil jede Erinnerung an Clairchen im schaurigen Bild ihres Todes endete: der kolossale verfaulte Körper im schwarzen Kleid vor einem klaren blauen Himmel.

Die Leiche wurde erst gefunden, als die Blätter von den Bäumen fielen und dahinter, ganz oben in der Krone eines Kastanienbaumes, der Ast sichtbar wurde, an den Clairchen sich gehängt hatte, und auch ihre halbverweste Leiche. Sicher wäre man vorher auf den Gestank aufmerksam geworden, hätte sie nicht in der Nähe des Schlachthofes gewohnt, wo es fast immer nach verwestem Fleisch stank. In den Aufzeichnungen des Malte Laurids Brigge steht: *Wer gibt heute noch etwas für einen gut ausgearbeiteten Tod ...; der Wunsch, einen eigenen Tod zu haben, wird immer seltener. Eine Weile noch, und er wird ebenso selten sein wie ein eigenes Leben.*

Clairchen hatte beides, ein eigenes Leben und einen eigenen Tod, und kein anderer Tod hätte die Maßlosigkeit ihres Lebens passender ergänzen können als dieses schockierende, ekelerregende und brutale Zeichen der Hilflosigkeit. Clairchen beherbergte in ihrem plumpen Körper eine unmäßige Sehnsucht nach Liebe, deren naturgegebene Unerfüllbarkeit sie in verzweifelte Exzesse trieb. Man sagte ihr nach, sowohl Männer als auch Frauen vergewaltigt zu haben. Jede Kränkung, die ihr, absichtlich oder versehentlich, zugefügt wurde, ahndete sie, indem sie den Verursacher bestahl. Sie nahm, was gerade greifbar war, einen goldenen Ring oder eine Handvoll Kleingeld aus einer Jackettasche. Mir fehlte nach einem Besuch von Clairchen fast immer etwas, ohne daß ich gewußt hätte, wodurch ich sie gekränkt haben könnte. Manchmal fand ich die verschwundenen Gegenstände, achtlos in eine Ecke des Regals gestopft, in ihrer Wohnung wieder. Dann be-

kam ich sie zurück. Um Clairchen zu verletzen, genügte es, sie nicht zu lieben. Um geliebt zu werden, verstrickte sie sich in Lügengespinste, verschenkte, was sie besaß und was sie nicht besaß, geliehene Bücher, gestohlenes Geld, sie schmeichelte, verleumdete, und auch ihre absonderlichen Bilder malte sie, um dafür geliebt zu werden. Sobald es ihr gelungen war, einem Menschen, gleichgültig, ob Mann oder Frau, Gefühle der Liebe zu entlocken, stürzte sie sich mit der gleichen werbenden Hartnäckigkeit, die eben noch dem einen gegolten hatte, auf einen anderen, um auch ihm einen Tropfen Liebe aus dem Leib zu saugen wie eine Mücke einen Tropfen Blut aus einem menschlichen Körper. Unersättlich war Clairchen in ihrer Liebesgier, und Martha sagte, niemand könne ihr helfen, denn Clairchen selbst hielte sich nicht für liebenswert und brauche darum täglich, stündlich einen neuen Beweis für das Gegenteil.
Eines Tages eröffnete uns Clairchen, sie bekäme ein Kind. Martha war entsetzt. Sie nannte Clairchen die Adresse eines Arztes in der Dimitroffstraße. Wir müssen nur einen berühmten Mann finden, der dich bei dem anmeldet, der macht es nur für Berühmte, sagte Martha. Clairchen schüttelte den Kopf.
Clara, sagte Martha, du hattest eine Tanzmaus, Goldfische und einen Wellensittich. Sie sind bei dir alle nicht älter als zwei Wochen geworden, weil du vergessen hast, sie zu füttern.
N Kind is keen Wellensittich, sagte Clairchen, außerdem hab icks nich verjessen, sondern nich jeschafft.

Ich schwieg. Seit ich wußte, das ich keine Kinder bekommen konnte, träumte ich immer wieder den gleichen Traum: ich gebar ein Kind durch mein Ohr, schmerzlos und warm kroch ein Kind durch mein linkes Ohr wie die Tochter Indras durch das Ohr ihres Vaters. Ich dachte nicht darüber nach, ob ich mir wirklich ein Kind wünschte, aber ich fühlte mich nicht berufen, andere in derartigen Fragen zu beraten. Ich hielt es auch für möglich, daß ein Kind Clairchen befreien könnte von ihrer Angst, nicht geliebt zu werden.

Solange das Kind, nur sichtbar als Clairchens mächtig gewölbter Bauch, in seiner Mutter heranwuchs, genoß Clairchen die Sorge und Aufmerksamkeit, die ihr und dem Kind zuteil wurden. Zum erstemmal war auch ihr unförmiger Körper legitimiert, und die deutlichen Zeichen der Schwangerschaft erhoben ihn über jeden Spott. Das Kind war ein Mädchen, Clairchen nannte es Carmen, und wir fragten uns, ob sich hinter dieser Namensgebung eine Hoffnung oder die erste zu befürchtende Abwehr verbarg, denn einige Wochen vorher hatte Clairchen gesagt: Wenns n Mädchen wird, jibts entweder zwee sone Monster, oder sie is ne Mutation, denn wirdse janz schön und versteht so wenig wie die andern.

Clairchen bemühte sich: sie las Bücher über Säuglingspflege, trug das Kind immer mit sich herum wie ein Känguruh sein Junges, sie stillte es sogar. Drei Monate glaubten wir, sie hätte sich beruhigt und das Kind könnte ihr tatsächlich das ungeheure Maß an Liebe ersetzen, das sie zum Leben brauchte. Dann brachte sie es

nach Brandenburg zu ihrer Mutter, wo sie es hin und wieder besuchte. Da hats n Jarten, sagte sie.
Sie kann nicht anders, sagte Martha, wir können alle nicht anders, weil wir es falsch lernen. Die Liebe sei ein Hauptforschungsthema der Piraten gewesen, die gründliche Studien betrieben und dabei herausgefunden hätten, daß im gesamten europäischen Kulturraum ein direkter und enger Zusammenhang bestünde zwischen der Liebe und der Unterwerfung in ihrer aktiven und passiven Form. Der europäische Säugling lerne die Liebe als einen Akt der Unterwerfung kennen; das erste von ihm geliebte Wesen sei zugleich die Verkörperung der Macht: die Mutter. Sie könne verbieten, bestrafen, sie dürfe sogar schlagen, sie könne das Kind verhungern lassen oder es lieben. Je deutlicher der europäische Säugling seine Unterwerfung, seinen Gehorsam beweise, um so sicherer könne er ihrer Liebe sein. Die Liebe der Mutter sei der Lohn für den Gehorsam und die Unterwerfung die Bedingung für ihre Liebe, von der wiederum das Leben des Kindes abhänge. Demzufolge seien die Gefühle liebender Europäer ein nicht entwirrbares Chaos aus Zuneigung, sadistischer Herrschsucht, masochistischer Unterwürfigkeit, und es läge nahe, daß die so Liebenden sich zudem oft erpresserischer Methoden bedienten. So jedenfalls hätte der Professor es ihr damals erklärt. Zwischen Clairchens und unserem Verhalten bestünden nur graduelle Unterschiede, wir hätten weniger Angst, sagte Martha.
Nach der Geburt ihres Kindes lebte Clairchen noch

fünf Jahre. Als sie starb, hatte ich Marthas Postkarte schon bekommen: Bin in Spanien und suche meinen Vater. Martha. Zu Clairchens Begräbnis bin ich nicht gegangen, zumal wir uns seit Marthas Verschwinden nicht mehr gesehen hatten.

Ich habe nicht an Clairchen denken wollen, und jetzt, nachdem ich dazu gezwungen war, werde ich darauf verzichten, mir meine mögliche Schuld an ihrem Ende vorzurechnen. Es wäre geheuchelt. Überhaupt interessiert mich Schuld, fremde oder eigene, nicht mehr, und wenn ich vorhin sagte, ich wolle schuld sein, so meinte ich vielmehr, daß ich Ursache einer Folge sein will. So betrachtet, stehen Clairchens Tod und ich in keinem Zusammenhang, und selbst wenn ich auf meine Schuld aus wäre, würde ich sie nicht finden. Obwohl mir die Einzelheiten meines Lebens natürlich vertrauter sind als die anderer Leben, bleiben mir seine wirklichen Zusammenhänge in vielem verborgen, und ich finde zu verschiedenen Zeiten sehr unterschiedliche Erklärungen für seinen Verlauf, während mir Idas oder Clairchens Leben in ihren sich selbst verursachenden Folgen einen klaren, zuweilen sogar eindeutigen Zusammenhang offenbaren, was, wie ich befürchte, nichts als eine Täuschung ist, begründet in meiner Unkenntnis von Clairchens und Idas Geheimnissen, den hunderttausend verschwiegenen Zufällen oder der eigenen, niemals preisgegebenen Abgründigkeit. Zudem kennt man fremde Leben, sofern man ihnen nicht gerade beiwohnt, vorwiegend durch Erzählungen, also schon aufbereitet in ihren scheinbar kausalen Verflechtungen, wogegen das eigene, nur erlebte Leben als ein rätselhafter Haufen von Knoten und Schlingen vor einem liegt und es der jeweiligen Stimmung oder auch nur der Willkür überlassen bleibt, das Hin oder Her eines Details zu bestimmen.

Wie leicht ist es für mich, eine Geschichte zu verstehen wie die zwischen Hans und Ida. Hans war Arbeiter in der Königlichen Porzellanmanufaktur, und Ida lernte beim Schneidermeister Kramer, der Ida ihrer Familie zuliebe angestellt hatte, denn Ida war seit ihrer Geburt kränklich und nervös, und meine Mutter sagte, in der Jugend hätte ihre Schwester unter einer Art Veitstanz gelitten. Hans und Ida lernten sich kennen, als Ida eines Nachmittags bei Aschinger eine Erbssuppe mit Bockwurst aß. Hans gefielen Idas rote Haare und ihre weiße Haut. Er sprach sie an und lud sie zum Kaffee ein, eine zu ihrer Zeit ganz und gar übliche Form des Kennenlernens, wie Ida später oft beteuerte. Ida verliebte sich in Hans, und Hans verliebte sich in Ida. Nach einem Jahr verlobten sie sich und legten ein gemeinsames Sparbuch an. Es wären die sechs glücklichsten Jahre ihres Lebens gewesen, sagte Ida, und die Fotografien, die ich aus dieser Zeit kenne, scheinen das zu belegen. Ida und Hans stehen im offenen Winkel zum Betrachter, halb nebeneinander, halb einander gegenüber, nur die Außenflächen ihrer Hände, Idas linker und Hans' rechter Hand, berühren sich. Ida trägt ein Samtkleid und Hans einen dunklen Anzug mit hellen Gamaschen. Die Pose für den Fotografen ist erkennbar, dahinter aber ein nur vom einen für den anderen bestimmtes

Lächeln, dessen Inhalt der Betrachter ahnt, aber nicht kennt. Die sechs glücklichsten Jahre in Idas Leben endeten durch ein Telefongespräch, in dem Hans seiner Verlobten Ida mitteilte, daß die Situation für ihn, den Arier, mit ihr, der Polin und Halbjüdin, zu schwierig geworden sei, was Ida, die ihn doch liebe, sicher verstehen würde. Die Hälfte des gesparten Geldes schickte er mit der Post. Ida nahm in einer Woche zehn Pfund ab und bekam einen Anfall von Veitstanz.

Für den Außenstehenden ist es eindeutig: Hans war ein schwacher Mensch, der den Verhältnissen nicht standhielt. Was aber, wenn Hans inzwischen eine andere Frau oder auch nur Ida nicht mehr liebte; wenn er glaubte, der Hinweis auf die schwierigen, aber durch sie beide nicht zu beeinflussenden Verhältnisse würde Ida weniger verletzen als ein Bekenntnis seiner erloschenen Gefühle. Und was, wenn es diesen immerwährenden Streit zwischen Männern und Frauen auch zwischen Hans und Ida längst gegeben hatte, aber aufgegangen war in einem größeren mörderischen Kampf und später von Ida vergessen wurde. Wäre die Geschichte von Ida und Hans dann immer noch eindeutig oder wäre sie nicht eine der vielen undurchschaubaren, durch die Geschichte nicht geheiligten Liebesbeziehungen, deren schlüssige Bedeutung Ida niemals hätte ergründen können. Sie hätte nicht mehr gewußt als ich über Bruno und mich. Wie ich hätte sie im Wirrwarr der Gesten und Worte nach den Anfängen ihres Scheiterns suchen müssen, eigenes Versagen gegen das des anderen aufrechnen, um etwas Einsehbares zu finden, etwas, das den Satz beenden könnte: es ist so gekommen, weil ... So aber gehörte Idas kleine Liebe der Zeit an wie eine winzige Zelle dem Organismus, der sie wachsen ließ, und die Endlichkeit dieser Liebe bekam ihren Sinn durch die Barbarei dieser Zeit, der ein sanfter und schwacher Mensch wie Hans nicht gewachsen war.

Und wir, Bruno, sagte Rosalind, was haben wir, um unser Ende zu erklären, eine zu kleine Wohnung, einen lieblosen Vater, den Alkohol, die Regierung, die Langeweile, den Fußball, Barabas, die Atombombe, den Abwasch, meinst du, das reicht, ich wußte, daß ich dich hier finden würde, und stell das Bier weg, Bruno, es ist mindestens das zehnte, ich seh es deinen Augen an.

Bruno drehte sich langsam um und lehnte sich mit dem Rücken an den Tresen. Das Bierglas behielt er in der Hand. Rosa, sagte Bruno, Rosa Polkowski, die Dame mit dem Burgundischen Stolz, herabgestiegen in die Kloake des Alkoholismus. Salve Regina. Er küßte Rosalind die Hand. Wie immer, wenn Bruno betrunken war, sprach er langsam, die Vokale genüßlich dehnend, als würde er sie singen, während er seine Worte begleitete durch angedeutete theatralische Posen eines Opernsängers. Zwanzig Bier, dreißig Bier, vierzig Bier, sagte Bruno, die Welt hat noch keinen glücklichen Menschen gesehen, es sei denn, er wäre betrunken. Schopenhauer. Bist du gekommen, mein Glück zu stören?

Du bist betrunken, sagte Rosalind.

Welch ein Satz, sagte Bruno, welch ein Satz, wieder-

holte er laut und streckte seinen Arm in ausholendem Schwung von sich. Bin ich betrunken? Natürlich bin ich betrunken. Wer wagt es überhaupt, nicht betrunken zu sein. Wer ist der speichelleckerische und geizige Schuft, der nicht betrunken sein will.
Die umstehenden Männer, von denen Rosalind drei erkannte, lachten beifällig, was Bruno bewog, seine Rede fortzusetzen. Er senkte seine Stimme, neigte den Kopf seitwärts und legte eine Hand weich auf Rosalinds Schulter, so daß seine ganze Haltung Nachsichtigkeit ausdrückte. Bist du gekommen, um mir zu sagen, daß du nüchtern bist, sagte er, und denkst du, daß du darum jetzt ein besserer Mensch bist. Nein, das denkst du doch nicht, Rosa, so weit ist es mit dir nicht gekommen.
Ich wollte wissen, warum du damals weggegangen bist, sagte Rosalind.
Weil du mich sonst totgeschlagen hättest. Bruno schwenkte sein Bierglas durch die Luft und rief über Rosalinds Kopf hinweg: na dann Prost. Du hättest mich totgeschlagen, und du solltest mich doch nicht totschlagen, Rosa. Dich hätten sie ins Gefängnis gesperrt und mich für immer nüchtern in ein kaltes Grab oder als trockenes Pulver in einen Topf.
Igittigitt, sagte ein älterer Herr mit einer dunkelblauen, silbergepunkteten Fliege, der plötzlich hinter Bruno auftauchte und in dem Rosalind den Sinologen Baron erkannte, von den Stammgästen jener Kneipe nur als der Graf bezeichnet, in welchen Stand Bruno ihn vor mehr als zehn Jahren erhoben hatte, nachdem Baron,

ein in europäischen Fachkreisen geschätzter Wissenschaftler, mit der Ehrennadel der Deutsch-Sowjetischen Freundschaft, kurz Deusow, für seine Kassierertätigkeit in selbiger Gesellschaft ausgezeichnet worden war. Das wäre aber nicht standesgemäß, sagte der Graf, schüttelte sich, um seinen Abscheu vor solchem Ende nachdrücklich zu bekunden, und verschwand, erschrocken über den eigenen Vorwitz, wieder hinter Brunos breitem Rücken.

Und warum, Rosa, sagst du, ich hätte dich verlassen, da ich dich nicht verlassen habe, und warum hast du mich verlassen, Rosa, fragte Bruno und ließ sich graziös in die Pose eines Gemäldebetrachters fallen, indem er mit dem rechten Bein einen Schritt zurücktrat, während er das linke, leicht nach außen gewinkelt, stehenließ, ohne dabei den prüfenden Blick von Rosalinds Gesicht zu wenden.

Pardon, Brünoh, sagte der Graf über Brunos Schulter, aber es handelt sich um eine Tautologie, nur damit es nicht unbemerkt bleibt, eine Tautologie: trockenes Pulver. Feuchtes Pulver wäre Schlamm, Matsch, Brei, Pampe. Nur damit es nicht unbemerkt bleibt. Der Graf kicherte oder hüstelte schuldbewußt und machte sich rasch wieder unsichtbar. Er sprach Brunos Namen immer französisch aus, weil er ihm in seiner deutschen Version ordinär und somit für Bruno unpassend klang.

Du bist von mir weggegangen, sagte Rosalind durch das Gewirr aus tiefen Männerstimmen, Bierdunst und Zigarettenrauch. Warum.

Bruno seufzte. Das meiste Unglück rührt daher, daß

die Leute nichts für sich behalten können, sie wollen einfach nichts für sich behalten, nicht einmal das Unaussprechliche wollen sie für sich behalten. Bruno setzte sich an einen leerstehenden Tisch und guckte traurig in sein fast leeres Bierglas. Niemand fragt: warum bleibst du, sagte Bruno, alle fragen: warum gehst du, aber nur das Bleiben braucht Gründe, das Gehen ist Natur. Wer bleibt, hat den Kampf gegen seine Natur gewonnen. Wir haben den Kampf gegen uns verloren, Rosa.

Rosalind schwieg. Jetzt fiel ihr ein, daß sie auch früher über die Dinge ihres Zusammenlebens nicht hatten reden können. Ehe Bruno sich auf Diskussionen über die Haushaltsführung oder ähnliches eingelassen hätte, veränderte er, scheinbar mühelos, seine Lebensgewohnheiten in dem von Rosalind geforderten Sinn, ohne daß er dergleichen je von ihr verlangt hätte. Mangelnde Anpassungsfähigkeit sei Ausdruck eines gestörten Selbstbewußtseins, sagte Bruno. Der Ober tauschte Brunos leeres Glas gegen ein volles, das Bruno in einem Zug zur Hälfte leerte und damit die Melancholie der letzten Minuten hinunterspülte. Er erhob sich langsam, das Gleichgewicht mit Mühe haltend, und als er stand, sagte er laut, so daß die übrigen Zecher ihn wieder hören konnten: Du hast mir nur nicht verziehen, daß ich Latein kann. Alle lachten, und Bruno lachte mit ihnen, kein bösartiges Lachen, nicht einmal höhnisch oder schadenfroh, nur das fröhliche, einige Lachen von Siegern. Dabei war nicht anzunehmen, daß die Lacher – abgesehen vom Grafen – des Lateinischen ebenfalls kundig waren, aber Bruno gehörte zu ihnen, und damit wurde seine besondere Fähigkeit zum kollektiven Besitz und schmückte jeden, der sich als zugehörig empfinden durfte. Plötzlich wurde Bruno ernst, warf einen müden Blick in die Runde, winkte ab und sagte: Der Pöbel lacht, der Pöbel lacht ... Nur der Graf kicherte heimlich, während in den Augen mancher, die Bruno eben noch Beifall gespendet hatten, Wut aufkam.

Daß Bruno alles konnte, was Rosalind nicht konnte – Latein, Klavierspielen, Mathematik, Autofahren, Schachspielen, schwere Gegenstände heben, Französisch, die Aufzählung ließe sich fortsetzen –, hatte ihre Beziehung tatsächlich belastet. Nur in den ersten Monaten empfand Rosalind ungeteilte Bewunderung für Brunos vielseitige Talente, durch die sie sich bald darauf gleichermaßen bedroht fühlte. Es gab kein Gebiet, nicht einmal ihr eigenes, die Geschichte, auf dem sie sich sicher fühlte vor Brunos besserem Wissen, das sie manchmal, sich ihrer Ungerechtigkeit durchaus bewußt, Besserwisserei nannte. Da sie nahezu gleichaltrig waren, fragte sie sich, wann Bruno seine Kenntnisse wohl zusammengerafft haben konnte, und die Antwort darauf, daß Bruno mit zweiundzwanzig Jahren die wichtigsten Bücher bereits gelesen, die Musik und die Malerei für sich schon aufbereitet hatte, entmutigte sie vollends und ließ sie sowohl mit ihrer Herkunft als auch mit ihrem Geschlecht hadern. Brunos Vater – bis zu seinem Tode selbst Chefarzt einer größeren Klinik – entstammte einer traditionellen Ärztefamilie, die

Mutter, eine gebürtige Freifrau, hatte ihre Jugend teils auf dem elterlichen Gut im Pommerschen, teils als Studentin in Paris verbracht. Wenn auch die Eltern die Bildung ihrer Söhne Bruno und Robert – abgesehen von den zusätzlichen Lateinstunden – nicht sonderlich betrieben, boten sie ihnen aber ein geistiges Milieu, das in dem Land zwischen Elbe und Oder selten geworden und überdies als bürgerlich diffamiert war.

Rosalinds Eltern, der Vater gelernter Dreher, die Mutter Telefonistin, nach dem Krieg und der Gefangenschaft des Vaters beide Neulehrer, hatten sich unter äußerster Anstrengung das notwendige Häuflein Wissen für ihren neuen Beruf angeeignet und in den folgenden Jahren auf Parteischulen und ähnlichen Bildungseinrichtungen erweitert, wo sie die Wissenschaft von der neuen Weltanschauung nach wechselnden Katechismen erlernten.

Diese unterschiedlichen Voraussetzungen konnten zwar bedauert werden, entzogen sich aber, da als unveränderbar gegeben, Rosalinds kritischen und selbstkritischen Betrachtungen. Anders stand es um die selbstverschuldeten Versäumnisse, die Rosalind zum großen Teil weniger ihrer Veranlagung als ihrer Geschlechtszugehörigkeit anlastete. Die Jahre, in denen Bruno offenbar von Homer über Lawrence Sterne und Hölderlin bis zu Kafka alles gelesen hatte, was ihm für seine Welterkenntnis brauchbar erschien, verbrachte Rosalind in einem Taumel einander ablösender Liebesbeziehungen, alle mehr oder weniger unglücklich und kräfteverzehrend, und das System ihrer Wissensaneignung ergab sich aus den Besonderheiten der jeweiligen Männer. Rosalind interessierte sich abwechselnd für Medizin, Theater, alte Sprachen, Fotografie, Philosophie, kurzfristig sogar für Mathematik, sie lernte Polnisch, Spanisch und Ungarisch in den Anfängen, und noch während des Studiums besuchte sie für einige Monate einen Zeichenkurs, weil sie sich in einen Kunststudenten verliebt hatte. Daß sie sich in solchem Verhalten zu allen Zeiten lächerlich fand, daß sie nach jeder Verliebtheit schwor, es bei keiner künftigen zu ähnlichen Anfällen unbeherrschter und, wie sie nachträglich urteilte, melodramatischer Gefühle kommen zu lassen, konnte die Wiederholungen nicht verhindern und steigerte den Kummer über die nicht oder nicht genügend erwiderte Liebe durch die Qual der Selbstverachtung. Sie hielt ihre Unfähigkeit, ihr Verhalten den eigenen Einsichten unterzuordnen, für einen beschämenden Defekt ihres Charakters, bis ihr auffiel, daß vergleichbare Verhaltensweisen bei Frauen oft, bei Männern fast nie zu beobachten waren. Sie neidete Bruno seine Kenntnisse nicht wirklich, aber sobald sie sich seines unaufholbaren Vorsprungs bewußt wurde, breitete sich in ihr eine panische Wut aus über die eigene Unzulänglichkeit, über die Ungerechtigkeit der Natur, die sie mit so verschieden wirkenden Hormonen bedacht hatte, über das ewige Gerede von junger und schöner Weiblichkeit, dem auch sie sich nicht entziehen konnte, wodurch ihre Wut letztlich wieder auf sie selbst gelenkt wurde, zum ei-

nen, weil sie solchen Ansprüchen nicht zu genügen glaubte, zum anderen, weil ihr das nicht gleichgültig war.
Bruno murmelte leise Worte vor sich her, zu denen er mit den Fingerspitzen der rechten Hand leicht den Rhythmus schlug; ... *in tiefem Schlummer der Hermaphrodit* ..., verstand Rosalind.
Inzwischen habe ich dir dein Latein verziehen, sagte sie zu Bruno, ich brauch's nicht mehr, weil ich jetzt Eskimoisch kann.
Was kannst du?
Eskimoisch.
Bruno lachte, daß ihm Tränen in die Augen kamen.
Weinst du, fragte Rosalind.
Ich bin so gerührt, sagte Bruno, Graf, kommen Sie her, Rosa kann Eskimoisch.
Soll ich einen Satz sagen, sagte Rosalind, ich sage einen Satz, ja?
Drei, sagte der Graf, mindestens drei, an einem Satz ist keine Sprachkenntnis zu überprüfen.
Während Rosalind überlegte, durch welche drei Sätze sie ihre Kenntnis des Eskimoischen beweisen wollte, sagte der Graf: Rosa, Sie sind beneidenswert, eine Sprache zu haben, in der man die eigenen Gedanken noch nicht gedacht hat, wirklich beneidenswert. Ich kann wohl an die zwanzig Sprachen, nicht wahr, Brünoh, man zählt sie ja nicht, und durch alle habe ich mich hindurchgedacht, es kommt mit den Jahren leider nicht viel Neues hinzu, ganz im Gegenteil, nur die schmerzlichen Erinnerungen an die Wonnen vergangener Neu-

heit, das erste Gespräch in Griechisch, der erste Traum in Chinesisch, das erste Gedicht auf Japanisch.
Bei der Erwähnung seines ersten japanischen Gedichts lächelte der Graf wehmütig in Erinnerung an seine Braut Tsugiko aus Kyoto. Vor zehn Jahren hatte man dem Grafen gestattet, im Rahmen eines staatlichen Wissenschaftsabkommens für ein halbes Jahr in Kyoto zu leben, um dort die legendären Sammlungen japanischer Kunst zu studieren. Nur der schönen Tsugiko hätte er es zu verdanken, erzählte der Graf später, daß er nicht das Opfer einer geheimnisvollen Krankheit, der sogenannten Kyotokrankheit, wurde, der schon viele Forscher aus aller Herren Länder erlegen seien. Die Ursache jener Krankheit sei rätselhaft. Das Klima spiele eine Rolle, vor allem aber die seltenen Möglichkeiten, die Ausstellungen und Museen zu besichtigen, einige öffneten, um die Schätze vor Temperaturschwankungen und Lichteinstrahlungen zu bewahren, nur ein- oder zweimal im halben Jahr, was zur Folge hätte, daß jeder, der an diesen Tagen krank oder auf andere Art verhindert sei, fünf oder sechs Monate warten müsse, ehe er das Versäumte nachholen könne. So käme es, daß die Fremden schnell jedes Gefühl für die Zeit verlören und, durch die Schönheit der Stadt begünstigt, in eine glückselige Lethargie verfielen, in der sie bald den Zweck ihres Aufenthaltes vergäßen und oft erst zehn oder fünfzehn Jahre später, manche auch niemals, die Heimreise anträten. Als der Graf Tsugiko traf, litt er schon an den ersten Symptomen der Kyotokrankheit – Schläfrigkeit und Vergeßlichkeit –, ohne es

selbst zu bemerken, und nur der Liebe dankte er das Wiedererwachen seiner Sinne. Nach sechs Monaten ließ er Tsugiko als seine Braut zurück. Seitdem schrieben sie sich regelmäßig Briefe, Tsugiko schrieb japanisch, der Graf schrieb deutsch aus sprachpädagogischen Gründen, versah die Briefe aber, um Tsugiko das Übersetzen zu erleichtern, mit in Japanisch gehaltenen Hinweisen auf Wortstämme und grammatikalische Formen. Einmal besuchte Tsugiko den Grafen in Berlin, mußte aber nach vier Wochen zurück nach Kyoto, wo die Eltern ihre Hilfe in ihrer kleinen Färberei dringend benötigten. Der letzte Brief aus Japan erreichte den Grafen vor zweieinhalb Jahren, trotzdem sprach er von seiner Braut, und das Klavier, das er für Tsugiko vor fünf Jahren gekauft hatte, stand immer noch, von Decken verhüllt, in seinem Keller.

Eine neue Sprache ist wie ein neues Leben, sagte der Graf, nicht wahr, Brünoh, und Bruno stimmte ihm zu.

Ich sage jetzt den ersten Satz, sagte Rosalind: Tuluvkap orssok tingupa. Jetzt den zweiten: ernerpit titorfinguak tiguva. Und den dritten: Aningaussat upernak ilingnut nagsiussaka tiguvigit. Habt ihr gehört, drei Sätze.

Und der Graf sagte: Zaì xiuzhèngzhugì luxiàn kòngzhì de dìfāg, huáiren bù choù, hăvrén bù xiāng.

Und Bruno sagte: Arma virumque cano, Troiae qui primus ab oris Italiam fato profugus Laviniaque venit litora.

Und Rosalind sagte: Inokatiminik mamardlîssartok ugperissagssáungilax.
Und der Graf: Zhăn chū de mĕishù zuò pĭn, weí dàguān.
Und Bruno: Multum ille et terris iactatus et alto vi superum ...
Und Rosalind: Niune napivâ erdluvdlune.
So redeten sie eine Weile, jeder in seiner Sprache, und das Gelächter, mit dem sie ihre Reden begleiteten, rührte sowohl von der Gemeinsamkeit her, jeder eine eigene Sprache zu haben, als auch von dem Vergnügen, so den anderen die schaurigsten Geheimnisse mitteilen zu können und sie zugleich für sich zu behalten. Daß keiner von ihnen ein wirkliches Geheimnis aussprach, minderte nicht den Spaß an der Möglichkeit, es zu tun. Natürlich hätte der Graf Bruno verstehen können, aber er war ganz und gar mit dem Chinesischen beschäftigt, so daß es ihm nicht schwerfiel, seine Lateinkenntnisse für den Augenblick zu vergessen. Anfangs hatte ein Teil der Gäste das Spiel der drei verfolgt, sich dann aber gelangweilt oder mißtrauisch zurückgezogen, als offenbar wurde, daß man sie nicht teilhaben lassen wollte.
Eine Lage für uns drei, rief Bruno.
Und der Graf, der sich nicht beherrschen konnte, nutzte die Unterbrechung, um zu fragen, ob man nicht doch die Übersetzung wagen wolle. Bruno hatte nichts dagegen einzuwenden, aber Rosalind sagte, heute wolle sie noch nichts übersetzen, es sei zu schön, daß sie etwas sagen könne, was die beiden nicht verstünden, eine Weile müsse sie das noch genießen.

Der Graf war enttäuscht, und Bruno tröstete ihn, das sei am Anfang immer so, würde sich mit der Zeit aber geben.
Der Graf trank sein Bier aus und erhob sich mit einer leichten Verbeugung vor Rosalind. Le devoir nous appelle, Madame, sagte er und ging zurück an den Tresen. Adieu, sagte Rosalind, und als sie sich wieder Bruno zuwandte, war auch der verschwunden. Während sie noch seinen Namen aussprach, Bruno, höre ich mich sagen, sitze ich wieder in meinem Sessel, allein, und möchte laut fluchen auf Eskimoisch, aber ich habe vergessen, wie man das macht.
Ich will es bei diesem Ausgang nicht belassen. Ich will von Bruno wissen, warum er von mir weggegangen ist, obwohl ich die Gründe dafür weiß; aber was weiß Bruno. Seine Behauptung, nicht er hätte mich, sondern ich hätte ihn verlassen, ist absurd, denn Bruno hat vor meinen Augen seine Tasche gepackt – was er außer Büchern besaß, paßte in eine mittelgroße Reisetasche –, er hat seine Tasche gepackt, den Schlüssel auf den Tisch gelegt und dann die Tür hinter sich zugeschlagen, nicht laut, aber deutlich, eine wortkarge Szene wie im Film, lächerlich und unvergeßlich. Ich schließe die Augen, um mich zu konzentrieren, und versuche, Bruno hierher, in meine Wohnung zu rufen, werde dabei aber nach einigen Sekunden durch das mir schon bekannte Schurren, Zischeln und Knistern aus der hinteren Zimmerecke gestört. Der Mann in der roten Uniform, die Frau mit der eigenen Meinung, der Mann mit der blutigen Nase, die Frau mit der hohen Stimme, der Mann

mit der traurigen Kindheit und die Frau mit dem zarten Wesen sitzen stumm um den Tisch herum, und ich bin ärgerlich, weil ich meine wunderbare Fähigkeit so unvollkommen beherrsche und somit immer wieder Unbefugten ermögliche, sich störend in meine Erkundungen zu drängen. Die Eindringlinge scheinen mich weder zu bemerken noch zu vermissen, sondern unterhalten sich ungeniert.

Zweites Zwischenspiel

Der Mann in der roten Uniform:

Ruhe, Herrschaften, nicht daß Sie denken, das wird ein Plauderstündchen. Das Thema ist ernst, die Stunde ist ernst. Wir sprechen über das kleinste Bläschen, wie Marxengels sagt, das kleinste Fruchtbläschen der Gesellschaft, und wenn es platzt, ist die Familie kaputt. Darum muß dieser Keimherd der Menschheit am Kochen gehalten werden. Haben Sie das verstanden!

Die Frau mit der eigenen Meinung:

Sehr wohl, einsperren, alle einsperren: Ehebrecher, Schwule, ledige Mütter. Aber das wird ja noch gehätschelt und vermehrt sich. Unsereins hat die Plackerei und zahlt die Steuern.

Der Mann mit der traurigen Kindheit:

O Gott, ich bin schon wieder unter diesen Menschen, aber ich verhafte diesmal niemanden, ich lasse mich von Ihnen nicht wieder verführen.

Die Frau mit der eigenen Meinung:

Da, es geht schon los, verführen, mit verführen geht immer alles los. Halten Sie Ihren Mund, Sie haltloser Muttermörder.

Der Mann in der roten Uniform:

Lassen Sie Ihre Privatangelegenheiten, hier gibt es keine Privatangelegenheiten. Das Wort habe ich. Wer will sich wissenschaftlich zum Problem des kleinsten Fruchtbläschens äußern.

Die Frau mit der hohen Stimme meldet sich und erhält vom Mann in der roten Uniform das Wort:

Wie war das noch herrlich, als unser Papi abends nach Hause kam und wir gemeinsam die Briefe von Mami und Tante Friedi lasen. Papi sagte zu mir Mami und ich sagte zu Papi Papi, und unsere Kinder sagten zu uns Mami und Papi. Wir wohnten auf der Sonnenseite von unserer Straße und waren eine glückliche Familie. Und jetzt ...,

die Frau mit der hohen Stimme beginnt zu weinen und kann nicht weitersprechen.

Der Mann mit der blutigen Nase:

Wenn wir über die Ehe sprechen müssen, können Sie gleich einen Arzt rufen. Ich verabscheue Ehepaare. Ich erkenne sie immer, selbst mit geschlossenen Augen würde ich sie an ihrem Geruch erkennen. Sobald ein Ehepaar gemeinsam auftritt, nimmt ein Teil den Geruch des anderen an, der Mann riecht nach der Frau, die Frau riecht nach dem Mann, gemeinsam verströmen sie ein atemberaubendes Geruchskonglomerat aus Rasierwasser, Lippenstift,

Toilettenseife und Intimspray. Ein vierbeiniges Neutrum in einer chemischen Duftwolke.

Die Frau mit dem zarten Wesen unterbricht ihn:

O nein, das ist mittelmäßig. Ich hasse das Mittelmäßige. Lieber soll Piti in der Fabrik arbeiten, als daß er ein mittelmäßiger Musiker ist. Wenn er mittelmäßig ist, kann ich ihn nicht lieben. Ich kann nur das Besondere lieben. Piti weiß das. Gestern hat Piti zu mir gesagt: Tipi, du bist ganz besonders, weil du das Besondere so liebst. Und als Piti das zu mir sagte, hatte auch er eine ganz besondere Ausstrahlung. Ich habe gleich ein hübsches Gedicht darüber geschrieben, und unsere Tochter Antigone sagte: meine Mama kann alles: Gedichte schreiben, singen, malen, stricken, kochen. Oh, das ist mein Ziel: besonders sein. Und auch Piti gibt sich große Mühe, mich nicht zu enttäuschen. Manchmal gelingt es ihm nicht und er ist doch wieder mittelmäßig. Piti, sage ich dann zu ihm, Piti, wenn du mittelmäßig bist, muß ich mich von dir scheiden lassen.

Der Mann in der roten Uniform:

Destruktiv, alles destruktiv. Ich verbiete Ihnen das destruktive Denken. Ich bitte um einen wissenschaftlich-konstruktiven Beitrag.

Die Frau mit der eigenen Meinung:

Meine eigene Meinung ist sehr konstruktiv. Wozu haben wir denn den Fortschritt. Sollen doch die Computer ausrechnen, wer wen kriegt. Mit einundzwanzig heiraten, scheiden verboten, basta. Ich bin dreißig Jahre verheiratet und lebe noch. Der Mann lebt auch noch.

Der Mann mit der blutigen Nase:

Vergessen Sie bei Ihren Überlegungen die Mordstatistik nicht. Eine hohe Mordquote macht keinen besseren Eindruck als eine hohe Scheidungsquote.

Die Frau mit der hohen Stimme:

O wie schrecklich, wenn Papi mich umgebracht hätte.

Der Mann mit der traurigen Kindheit:

Was haben Sie ihm denn getan, daß er Sie hätte umbringen können. Haben Sie ihm verboten, mit der Eisenbahn zu spielen, mußte er immer essen, wenn das Essen fertig war, haben Sie ihn gezwungen, immer das zweite Handtuch von rechts und die linke Hälfte des Ehebetts zu benutzen, haben Sie mit ihm geschimpft, wenn er nicht pünktlich nach Hause kam oder zu fettes Fleisch eingekauft hatte. Oh, dann hätten Sie Grund, sich zu fürchten. Mir haben sie verboten, mich scheiden zu lassen, meine Mutter und sie, und wie oft habe ich schon gehofft, es möge ihr etwas zustoßen, damit sie wenigstens für einige Zeit ins Krankenhaus muß.

Der Mann in der roten Uniform:

Ruhe und Disziplin! Disziplin und Ruhe! Da Sie zu wissenschaftlichem Denken nicht fähig sind, beende ich die seminaristische Form und halte Ihnen ein Referat. Papier, Bleistift, Sie schreiben mit. Erstens: der familienlose Mann. Der familienlose Mann trägt keine Verantwortung, was wir als verantwortungslos bezeichnen, und stellt somit eine Gefährdung der öffentlichen Sicherheit und Ordnung dar. Häufig ist sein momentaner Aufenthaltsort unbekannt, wodurch sogar eine termingemäße Zustellung des Einberufungsbefehls in Frage gestellt ist. Er glaubt, nur für sich selbst entscheiden zu können, und neigt zu spontanen Kündigungen und Wohnungswechseln. Weiterhin geht er planlos mit seinem Geld um und begeht daher nichtsortimentsgerechte Einkäufe, womit er die Kontinuität der Deckung des Warenangebots unterläuft. Zusammenfassung, mitschreiben: Der familienlose Mann verbringt zwei Drittel seiner Zeit unbeaufsichtigt und ist darum als Risikofaktor einzustufen.

Die Frau mit der hohen Stimme:

Das habe ich zu Papi gesagt, denk an die Familie. Einmal wollte Papi sich über seinen Chef beschweren, da habe ich zu ihm gesagt, das darfst du nicht, denk an die Familie. Da hat Papi an die Familie gedacht und ganz schnell eingesehen, daß er sich nicht beschweren darf. In einer Familie darf man nicht egoistisch sein.

Die Frau mit dem zarten Wesen:

Nun hören Sie schon auf mit Ihrem Papi. Wissen Sie, wie mittelmäßig das klingt. Ich glaube, Sie sind sehr durchschnittlich, Ihre Frisur, Ihr Kleid, alles sehr durchschnittlich. Und wenn Sie pausenlos weinen, wirken Sie uncharmant. Wären Sie charmant, hätten Sie Ihren Mann noch und müßten nicht weinen.

Der Mann mit der blutigen Nase preßt sich das Taschentuch vor die Nase.

Diesmal kommt es vom Lachen,

sagt er.

Ich denke gerade an zwei mir bekannte Damen und ihre Reden über die Unterdrückung der Frau. Für den Mann ist das Verhältnis zur Ehe ein Verwesungsprozeß. Je verwester er ist, um so leichter erträgt er die Ehe. In der Agonie gibt er den letzten Widerstand auf.

Der Mann in der roten Uniform brüllt:

Ruhe im Karton.

Die übrigen schweigen erschrocken.

Na also, mitschreiben. Zweitens: Die familienlose Frau. Die familienlose Frau teilt sich in zwei Gruppen: a. die familienlose Frau ohne Kind und b. die familienlose Frau mit Kind. Beide Gruppen unterteilen sich wiederum in die Gruppen aa und ba: die freiwillig familienlose Frau ohne oder mit Kind, und in ab und bb: die unfreiwillig familienlose Frau ohne oder mit Kind. Die freiwillig familienlose Frau ohne Kind (aa) gleicht in ihrem Verhalten dem familienlosen Mann, ist aber als gefährlicher anzusehen, da sie zusätzlich mit starken anarchistischen Tendenzen ausgestattet ist. Sie ist, zum Glück, als Erscheinung noch schwach verbreitet. Die freiwillig familienlose mit Kind (ba) ähnelt aa, ergänzt das genannte Verhalten aber durch raffinierte Verweigerungstaktik. Unter dem Deckmantel mütterlicher Verantwortung entzieht sie sich wichtiger gesellschaftlicher Tätigkeit wie Spalierstehen, Demonstrieren, Versammeln. Nun zu der größten Gefahr: unfreiwillig familienlose Frauen mit und ohne Kind (bb und ab). Sie bilden durch ihre ständige Unzufriedenheit das Potential feministischer Umtriebe. Sie greifen die Männer an, propagieren die Frauenliebe und zersprengen so, siehe Marxengels, das kleinste Fruchtbläschen. Maßnahmen, mitschreiben: gesetzliche Ehepflicht, Reintegration Haftentlassener durch Zwangszuweisung von Ehepartnern, keine Wohnungsvergabe an Unverheiratete.

Die Frau mit der eigenen Meinung:

Als Mutter muß ich sagen: meinen Sohn halten Sie da raus, dafür nehmen Sie aber Ihre eigenen Kinder. Eine Kriminelle für meinen Sohn vielleicht.

Der Mann mit der traurigen Kindheit:

Es ist zu bedauerlich, daß ich das Lachen nicht gelernt habe, sonst könnte ich mich jetzt entscheiden, ob ich das alles zum Lachen oder zum Weinen finde.

Die Frau mit dem zarten Wesen:

Ich muß mich sehr bezähmen, mein Herr, aber sehen Sie, ich lächle, nicht wahr, ich wirke nicht grob, obwohl ich empört bin, denn Sie wollen das Besondere verhindern, und die Entwicklung.

Der Mann in der roten Uniform spricht im Staccato und schlägt zu jedem Wort mit der flachen Hand auf den Tisch:

Die Entwicklung vollzieht sich wissenschaftlich, das bedeutet, wie Marxengels sagt, das Neue wächst im Alten heran wie das Kind in der Mutter. Wir haben das Mutterschutzgesetz, und darum muß die Mutter gepflegt werden, ja, mehr: sie muß zu vollster Blüte veranlaßt werden, damit es in ihr wächst und wächst. Das ist historischer Dialektismus, ist das klar.

Ist klar, sagte Rosalind zu dem Mann in der roten Uniform, der, verwundert über die unerwartete Zustimmung, aufsah und, als er Rosalind entdeckte, die rechte Hand an den Schirm seiner roten Mütze legte und Rosalind militärisch grüßte.

Es kommt mir ganz phantastisch vor, daß ich Leute wie Sie tatsächlich einmal gekannt haben soll, sagte Rosalind, aber da Sie in meiner Erinnerung vorhanden sind, müssen Sie mir in meinem leibhaftigen Leben begegnet sein, daran kann ich nicht zweifeln. Wenn ich sage, daß ich Ihnen für ihre ungebetenen Auftritte bei mir letztlich doch dankbar bin, werden Sie mich vielleicht mißverstehen, ich sage es dennoch. Sie können jetzt gehen.

*

Rückblickend schien es Rosalind, als hätte sie in zwei verschiedenen Welten gelebt. Was in der einen galt, war in der anderen falsch, und selbst so einfache Begriffe wie gut und böse bedeuteten in ihnen nicht dasselbe. Die eine Sprache existierte in der anderen wie eine Geheimsprache, obwohl sie aus den gleichen Wörtern bestand. Und da sie weder in ihrer Kindheit noch in ihrer Jugend eine Grenzlinie zwischen einem einfachen und jenem zweifachen Leben bestimmen konnte, schloß sie daraus, daß es die Voraussetzung ihres Lebens von Anfang an gewesen war. Der wichtigste Unterschied zwischen den beiden Welten bestand in ihrem Verhältnis zum Geheimnis. In der einen Welt, zu der Rosalind ihre Eltern, die Schule, sogar Ida, später die Barabassche Arbeitsstätte rechnete, waren Geheimnisse verpönt; sie galten als etwas, das, wenn man es überhaupt anerkannte, sofort zu beseitigen war, indem es gelüftet wurde. Ein Geheimnis mußte gelüftet werden wie eine stinkende Toilette oder ein schweißdunstiges Zimmer. Hinter Geheimnissen vermutete man etwas Verbotenes, Spinnereien, Lügen. Für die absonderlichsten Ereignisse fanden sich in dieser Welt die profansten Erklärungen. Gibt es einen Gott? – Hast du ihn schon gesehen, Rosi, niemand hat ihn gesehen, also gibt es ihn nicht. Ich betete trotzdem zu ihm, vorsichtshalber.

Für die andere Welt bedeuteten das Geheimnis und das Unerklärbare nicht weniger als den unbenennbaren Zusammenhang der Dinge und unserer selbst, die wir uns zwischen ihnen bewegen. Die für gewöhnlich verwendete Formulierung, der Zusammenhang der Dinge und unserer selbst sei ein Geheimnis, erweckt nur den Anschein, das gleiche auf handfestere Art auszudrücken. Sie verschweigt die Achtung vor dem Geheimnis und seiner Unendlichkeit. In der anderen Welt gilt es als wichtiger, das Geheimnis zu kennen, als es zu lüften; man widersteht seinem Sog nicht, man nähert sich ihm, soweit man es vermag, ohne dabei seine Exi-

stenz zu bestreiten. Das erste große Geheimnis, an das ich mich erinnere, war, daß Gott auf dem Tempelhofer Feld Hirtentäschelkraut wachsen ließ, wenn ich ihn darum bat. Ich mußte nur in das kreisrunde Erdloch steigen, das sich vor längerer Zeit jemand, wahrscheinlich ein Flakhelfer, in die Wiese gegraben hatte und in das eine kleine eiserne Leiter führte. Dort unten, dicht umgeben von der bedrohlich, zugleich anheimelnd riechenden nackten Erde und geschützt vor den Blicken Fremder, mußte ich mit geschlossenen Augen und gefalteten Händen leise und deutlich sagen: bitte, lieber Gott, laß noch mehr weiße Blumen für mich wachsen. Danach mußte ich einen Augenblick abwarten, um Gott Zeit zu lassen, und wenn ich dann den Ort meiner heimlichen Andacht verließ, konnte ich sicher sein, wieder einige jener weißen Blumen zu finden, die ich weniger als Schmuck denn als Nahrung suchte, weil die kleinen herzförmigen Gebilde an ihren Stielen eßbar waren und besser schmeckten als getrocknete Kartoffeln. Dieser Handel mit Gott ließ sich beliebig oft wiederholen, er gab mir nie so viel, daß ich die Kostbarkeit seiner Gabe mißachtet hätte, und nie so wenig, daß ich an Gottes Existenz und seiner Barmherzigkeit hätte zweifeln müssen.
Jedes Geschehen könne ein Geheimnis und kein Geheimnis sein, je nachdem, wie man es betrachte, sagte Martha. Sie selbst zöge es vor, die Dinge als Geheimnisse anzusehen, da sie so mehr über sie erfahre.
Nimm die Liebe, sagte Martha. Ihr Kommen und Vergehen ist den Menschen ganz und gar rätselhaft. Eine

Erregung überkäme den Menschen, sage Proust, die zur Folge hätte, daß dieser Mensch sich in den verlieben müsse, der gerade neben ihm säße. Es ist mit uns wie mit den Graugänsen, verstehst du, sie schlüpfen aus dem Ei, und was sie zuerst erblicken, ist ihre Mutter, und sei es eine alte Blechschüssel, der sie von nun an folgen müssen. Etwas, das in uns ist, erwacht, und was wir danach als erstes sehen, müssen wir lieben, bis die Erregung uns wieder verläßt. Das ist das Geheimnis. Aber nun kommen sie und fragen: warum. Sie messen die Adrenalinausschüttungen, fertigen Statistiken an über Dauer, Verlauf, Haltbarkeitschancen und Trennungsgründe, und alle Antworten, die sie finden wollen, beginnen mit weil. Es ist so, weil ... Eines Tages werden sie alle chemischen und physikalischen Hintergründe des Verliebtseins kennen und uns Tabletten gegen Liebeskummer verschreiben. Unsere Erregungszustände werden ausbleiben, neben uns wird sitzen können, wer will, wir werden uns nicht mehr in ihn verlieben, und man wird das Geheimnis für gelöst halten. Der Professor hat gesagt, wer die Faszination eines Geheimnisses erfahren wolle, müsse sich ihm ausliefern, nicht es vernichten. Leider, sagte er, fühlten sich die Menschen durch jede in ihrem geltenden Ordnungssystem nicht vorgesehene Erscheinung in ihrer Sicherheit so übermäßig bedroht, daß sie ihr sofort mit Spießen und mit Stangen zuleibe rückten, was er, der Professor, als die wirkliche Gefahr ansah. Ob es wirklich gefährlich ist, weiß ich nicht, sagte Martha, auf jeden Fall ist es todlangweilig.

Das Café war fast leer; im Fernsehen wurde das Endspiel der Fußballweltmeisterschaft übertragen. Martha und Rosalind saßen einander gegenüber, ohne sich anzusehen. Martha fuhr mit dem Zeigefinger über den Rand ihres Glases, bis das Glas einen leisen singenden Ton von sich gab.
Was, fragte Rosalind, was ist todlangweilig.
Marthas Finger kreiste immer noch über den Rand des Glases, dessen Schwingung inzwischen ein dünnes Kreischen hervorrief.
Ich habe dich etwas gefragt, sagte Rosalind.
Martha hörte nicht. Sie schien eins zu sein mit dem schriller werdenden Ton, in dem eine drängende Spannung vibrierte, die sich langsam auf Rosalind übertrug. Es war nicht das erste Mal, daß sie sich durch Marthas abwegige Gedankengänge gereizt fühlte. Rosalinds Leben hatte sich verändert, seit sie der Barabasschen Arbeitsstätte angehörte. Sie hatte gelernt, ihr Denken für Wochen oder Monate einem einzigen Thema zuzuordnen, es in eine bestimmte Richtung zu lenken und zu einem konkreten Ergebnis zu führen – zielstrebiges wissenschaftliches Denken nannte Barabas das. Sie stand jeden Morgen um sechs Uhr auf und kam selten vor sechs Uhr am Abend nach Hause, während Martha schlief, bis sie ausgeschlafen war, dachte, was sie wollte und wie sie wollte, sprunghaft, verträumt und, wie Rosalind immer öfter bemerkte, geradezu kindlich. Es schien ihr auch, als hätten Marthas Phantasien an Glanz verloren; früher hatte sie ganze Geschichten erfunden, seit einiger Zeit beschränkte sie sich auf Aphorismen,

in denen sie sich zudem des öfteren wiederholte. Herzkranke Blumen säumen den Pfad der Tugend, war im Umgang mit Rosalind einer ihrer Lieblingssätze. Am häufigsten warf Rosalind Martha ihre finanzielle Abhängigkeit von Georg vor, einen Zustand, den sie als parasitäres Sklavendasein bezeichnete. Martha sagte, sie sähe keinen großen Unterschied zwischen Barabas und Georg, höchstens den, daß Georg ein einzelner sei, Barabas hingegen nur einer in einer ganzen Hierarchie von Vorgesetzten bis hin zum Staatsoberhaupt. Deinem Sklavendasein fehlt nur das Parasitäre, sagte Martha.

Es wäre sinnlos gewesen, ihr etwas von der Lust vermitteln zu wollen, die Rosalind empfand, wenn ihr eine Arbeit gelungen war oder wenn sie ihre Meinung gegen eine andere durchsetzen konnte, wenn es ihr sogar gelang, Barabas zum Nachgeben zu zwingen. Martha hätte sich in Verständnislosigkeit geflüchtet oder in einen ihrer absurden Sätze.

Rosalind sah Martha an, wie sie ihr gegenübersaß, ohne aufzusehen, ganz konzentriert auf ihr quälendes Spiel mit dem Glas. Sie trug einen viel zu weiten schwarzen Pullover, dessen Ärmel ihre Hände halb bedeckten und nur die dünnen kindlichen Finger freiließen. Das Kreischen des Glases schwoll bedrohlich an, und Marthas Gesicht verzerrte sich in einer ängstlichen Gier. Dann schrie es, ein menschlicher Schrei, der auf seiner äußersten Höhe zerbrach. Das gemordete Glas fiel in zwei Teilen auf den Tisch.

Die falschen Fragen, sagte Martha.

Welche Fragen, sagte Rosalind.
Die todlangweiligen falschen Fragen, sagte Martha.
Übergangslos, während sie vorsichtig mit den Scherben spielte, sagte sie: Kommst du mit nach Amerika.
Schiff oder Flugzeug, fragte Rosalind.
Oder nach Grönland, sagte Martha.
Rosalind winkte ab. Ach, Martha.
Das Schlimmste ist, es gibt keine Fremden mehr, sagte Martha, es gibt keine oder ich erkenne sie nicht. Manche Menschen, die ich kenne, kann ich gar nicht kennen, aber ich kenne sie. Gestern habe ich ein Mädchen getroffen, mit dem ich in die Schule gegangen bin. Sie hieß Bärbel Hollerbusch, sah aus wie eine Indianerin, hatte aber Augen, die so blau waren wie sonst gar nichts, was ich kenne. Ich bin nie einer Frau begegnet, die ihr auch nur ähnlich war. Bis gestern. Gestern habe ich sie selbst getroffen, was unmöglich ist, denn sie ist vor zwei Jahren ertrunken. Außerdem war die, die ich gestern gesehen habe, höchstens zwanzig. Bärbel Hollerbusch wäre jetzt aber dreißig. Ich bin dem Mädchen nachgegangen, habe sie sogar nach einer Straße gefragt. Sie lief wie die Hollerbusch, sprach wie sie, lachte wie sie. Ich treffe immer öfter Leute, von denen ich glaube, mit ihnen in die Schule oder in den Kindergarten gegangen zu sein. Sie sind meistens zu alt oder zu jung, aber ich kenne alle.
Vielleicht wiederholen wir uns, sagte Rosalind, alle zehn Jahre wird das gleiche Sortiment Menschen geboren, wäre doch denkbar. Irgendeine Sorte stirbt aus, weil sie die Luft nicht mehr verträgt, und eine neue,

robustere kommt dazu. Bärbel Hollerbuschs Sorte ist eben noch nicht ausgestorben.
Das wäre entsetzlich, sagte Martha.
Was.
Dann würde ich wirklich alle kennen. Keine Fremden mehr, keine Geheimnisse, nur noch Plagiate. Sie legte ihre Hände mit den offenen Handflächen auf die Tischkante und suchte in den Handlinien nach einem Ausweg.
Du glaubst auch jeden alchimistischen Scheißdreck, sagte Rosalind. Martha schloß die Hände zu losen Fäusten. Es ist gleichgültig, was ich glaube, sagte sie, es gibt keine Fremden mehr, das sehe ich.
Wie sollen in deinem Leben Fremde vorkommen, sagte Rosalind, du sitzt zu Hause, im Café, ab und zu in deinem Museum, und paßt auf, daß niemand die Bilder klaut, oder kommst zu mir und bist enttäuscht, wenn in meiner Küche nicht schon zehn Fremde auf dich warten.
Triffst du Fremde, fragte Martha.
Ich bin froh, wenn ich keine sehen muß. Das ist der Unterschied.
Mein Vater, sagte Martha, hat mir erzählt, er hätte in seiner Jugend einmal auf der Straße einen Losverkäufer getroffen, der Schicksale verkaufte. Mein Vater hat keins genommen, aus Angst vor einer Niete. Das hat er sich nie verziehen.
Zwei Wochen später verschwand Martha. Niemand wußte, wie und wohin, bis die Karte aus Spanien kam. Bin in Spanien und suche meinen Vater, Martha. An

diesem Abend im Café muß sie schon gewußt haben, daß sie gehen würde, sie gehen, ich bleiben.
Lange Zeit schmerzte mich ihre Abwesenheit nicht, obwohl mir Martha, so sehe ich es heute, dennoch fehlte. Da ich mir dessen nicht bewußt war, vermißte ich sie nicht, wie ein Kranker seine Gesundheit nicht vermißt, während die Krankheit in seinem Körper schon wuchert, ihre Symptome aber noch nicht spürbar sind. Ich empfand sogar eine gewisse, vielleicht moralisch zu nennende Erleichterung, nachdem die ständige Irritation ausblieb, die Marthas andere Maßstäbe für mich bedeuteten, zumal sie ursprünglich, wenigstens teilweise, auch meine gewesen, mir in letzter Zeit aber als störend, ja, gefährlich für mein tägliches Leben, in Martha entgegengetreten waren. Ich verließ die Welt der Geheimnisse, in die mich Martha bis dahin immer wieder zurückgezogen hatte.
Aber ich verließ sie nur scheinbar. Nach zwei oder drei Jahren begann etwas in mir, mich zu bedrängen, das kein Willen war, keine Sehnsucht, kein Schmerz, kein Leiden; am ehesten war es ein Nichts, das sich zu etwas verselbständigt hatte und immer, wenn es sich regte, Erinnerungen an Martha wachrief, so daß dieses Nichts in meiner Phantasie langsam Marthas Konturen annahm, gleichsam zu ihrem Negativbild in mir selbst wurde. Meine Vorstellungen von einem anderen Wesen in mir gingen so weit, daß ich glaubte, es bliebe kein Raum für meine Organe. Ich begann, unter Atemnot, Magenkrämpfen und Herzbeschwerden zu leiden;

wenn die Sonne unerwartet hinter einer Wolke verschwand, glaubte ich eher, ich würde erblinden, als daß ich nach einer natürlichen, außerhalb von mir liegenden Erklärung gesucht hätte. Tatsächlich wiesen die Galle, der Magen, die Nieren bald Schädigungen auf, deren plötzliches und gleichzeitiges Entstehen den Ärzten rätselhaft blieb. Einige Organe wurden entfernt, ohne daß sich mein körperlicher Zustand besserte. Aber in den Atempausen, die mir durch die Operationen vergönnt waren und die ich vorwiegend benutzte, um zu schlafen, und ich schlief, um zu träumen, verlor sich das fremde Etwas in mir, es verschmolz mit meinem geschwächten, widerstandslosen Körper zu einer Person, die wieder ganz und gar ich war. Die Krankheit wurde der Zustand, nach dem ich mich sehnte.

Sie fragte sich, ob ihr, hätte sie sich nicht schon so widerwillig gebären lassen, ein anderer Ausweg eingefallen wäre – und wenn kein Ausweg, so doch vielleicht ein Umweg – als der, sich in einen bewegungslosen Krüppel zu verwandeln, ob sie, mit mehr natürlicher Lust am Leben, als ihr zugestanden war, zu früheren Zeitpunkten oder an Kreuzwegen ihres Lebens Entscheidungen getroffen hätte, die ihr ihre gegenwärtige Situation erspart hätten.

Ein Leben mit Bruno, dachte sie, ein Leben mit Bruno hätte ein Ausweg sein können. Aber sie war von Bruno weggegangen. Unbestimmte Zeit, bevor er seine mittelgroße Reisetasche packte, den Wohnungsschlüssel auf den Tisch legte und die Tür nicht laut, aber deutlich

hinter sich zuschlug, hatte sie sich schon, unerreichbar für ihn, hinter eine Wand aus Mißtrauen und Argwohn zurückgezogen, taub für seine Beteuerungen, sie verdächtigte ihn zu Unrecht. Sie fühlte sich durch Bruno bedroht.
Bruno war zwar mit vielen Talenten ausgerüstet, zur Welt gekommen, aber ihm blieb, obwohl er solche Erleuchtung immer erhofft hatte, seine Bestimmung verborgen. Keine seiner Begabungen erwies sich den übrigen gegenüber als so stark, daß ihm eine bevorzugte Ausbildung derselben oder gar eine Vernachlässigung aller anderen zugunsten dieser einen gerechtfertigt erschien. Wie Brunos Erzählungen zu entnehmen war, hatte er seine Studien leidenschaftslos und erfolgreich betrieben, nachdem er sich, taktischen Erwägungen folgend, für die Mathematik entschieden hatte, weil er sie für gefeit hielt gegen jede Doktrin, eine Meinung, die er, als sie sich kannten, schon korrigiert hatte. Letztlich sei das Verhältnis zu Computern nicht weniger doktrinär als das Verhältnis zu Gott, sagte Bruno, man glaube daran oder eben nicht. Bruno glaubte an nichts. Er glaubte auch an niemanden, was ihn davor bewahrte, von irgendeinem Menschen enttäuscht zu werden, da er ohnehin nichts von ihm erwartete, ein Vorzug, der ihm, obgleich Rosalind ihn als die äußerste Form der Menschenverachtung ansah, die allseitige Verehrung seiner Toleranz und Verständigkeit einbrachte. Bruno betrachtete Menschen ähnlich wie Pflanzen, deren Eigenarten und Empfindlichkeiten er gespannt beobachtete und sich von ihnen faszinieren

ließ, während ihn deren Ursachen – bei Menschen würde man von Motiven sprechen – kaum interessierten. Daß der Graf seine Kassierertätigkeit bei der Deusow mit gleicher Leidenschaft betrieb, mit der er dem Rätsel um ein unbekanntes Wort aus dem Altchinesischen nachspürte, daß er in ängstlicher Pedanterie die Kartei der durch ihn abzukassierenden Hundertschaftsmitglieder führte, indem er veränderte Adressen, neue Telefonnummern, Gehaltserhöhungen akribisch vermerkte und sich ernstlich empörte, wenn ihm diesbezügliche Neuigkeiten zu spät oder gar nicht zur Kenntnis gelangten, veranlaßte Bruno zu Ausbrüchen höchster Heiterkeit, die ihm manchmal Tränen in die Augen trieben, von denen Rosalind nie sicher hätte sagen können, ob sie durch Brunos haltloses Lachen oder durch seine uneingestandene Rührung hervorgerufen wurden. Es wäre ihm nicht in den Sinn gekommen, danach zu fragen, warum der Graf, der sonst keinen Verbänden und Vereinen angehörte, sein Deusowamt so ernst nahm, da Bruno meinte, jede scheinbar schlüssige Antwort ziele nur darauf, ein vordergründiges Kausalitätsbedürfnis zu befriedigen, und führe demzufolge eher von der Wahrheit weg als zu ihr hin. Außerdem liebte Bruno das absonderliche Wesen des Grafen, wie er zu allen Menschen in dem Maße Sympathie entwickelte, als er Absonderliches an ihnen fand. Nach den psychischen Wurzeln der Tics und Schrullen zu forschen, die der Graf sich eigens zugelegt hatte, um die Nacktheit seiner Seele zu schützen, hätte Bruno als anmaßend und indiskret empfunden, und Indiskretion, sofern sie sich nicht auf die allgemeine Freude an Neuigkeiten beschränkte, sondern die unsichtbare Grenze, die jeder Mensch in Notwehr um sich zieht, verletzte, galt ihm als eine der unangenehmsten menschlichen Eigenschaften. Ebenso war es Bruno lästig, wenn Rosalind seine Eigenarten zu ergründen suchte oder von ihm wissen wollte, warum er zehn Jahre zuvor das Klavierspiel endgültig aufgegeben hatte, warum er sich in jene Frau verliebt und diese verlassen hatte. Nächtelang versuchte sie, Brunos Aussagen über seine Vergangenheit einen Sinn zu geben, indem sie Linien zog von einem Ereignis zum anderen und ihm, ausgerüstet mit dem kärglichen Wissen über seine seelische Beschaffenheit und überzeugt von der unerläßlichen Pflicht zur Selbsterkenntnis, Motive für zurückliegende Entscheidungen und ihn prägende Charaktermerkmale anbot wie ein Kräuterweiblein seine Zaubermittel. Bruno bestaunte ihre unbeirrbare Hartnäkkigkeit, deren Sinn ihm verborgen blieb und der aus seiner Sicht etwas Missionarisches anhaftete. Es kam selten vor, daß Bruno nach einer von Rosalinds psychoanalytischen Bemühungen an ihm der von ihr gefundenen Interpretation eines biografischen Details wirklich zustimmte; vielleicht, aber ich glaube nicht, sagte er meistens und beließ sie und, was für Rosalind das Schlimmste war, auch sich selbst in unveränderter Unwissenheit.

Bruno hatte, bevor er Rosalind traf, mit zwei Frauen gelebt, acht Jahre mit der ersten, sieben Jahre mit der zweiten. Bei ihren nächtlichen Befragungen konzentrierte sich Rosalind auf die Hintergründe dieser Beziehungen, von denen sie sich Aufschluß über Brunos Verhältnis zu ihr, zu Frauen und Liebesverhältnissen mit ihnen überhaupt, erhoffte, aber Bruno gab vor, nichts darüber zu wissen. Es sei unsinnig, sagte Bruno, von gescheiterten Beziehungen zu sprechen, schließlich spräche man auch nicht von einem gescheiterten Leben, wenn ein Mensch nach Ablauf seiner Frist stürbe, und nicht von einer gescheiterten Theatervorstellung, nur weil sie ein Ende hätte. Eine Liebe, sagte Bruno, ist wie ein Organismus, sie hat eine Jugend, ein Alter und einen Tod, nur manchmal, sehr selten, ist eine Liebe so kräftig, daß sie ein Menschenalter überdauert, und davon erzählen sich die Leute dann noch jahrhundertelang. Rosalinds Ansichten über die Liebe unterschieden sich von denen Brunos nur in der Bewertung jener, von Bruno als naturgegeben angenommenen Endlichkeit, als deren Opfer Rosalind sich von vornherein ansah und darum, anders als Bruno, nach ihren Ursachen und deren Vermeidbarkeit suchte. Sobald sie von dem in Brunos Augen unausbleiblichen Ende ihrer Beziehung sprach, hoffend, Bruno würde sie zu einer der legendenbildenden Ausnahmen erheben, sagte Bruno: aber Rosa, ich liebe dich, worin sie eine ganz unzureichende Erklärung sah, denn sie wollte genau wissen, wie lange er sie lieben wird und unter welchen Umständen, ob er auch bei ihr bleiben würde, sollten ihr beide Beine abgefahren werden, was Bruno bejahte und sie hochherzig als unzumutbar zurückwies, ihm aber gleichzeitig versprach, selbstverständlich bei ihm zu bleiben, sollten ihm beide Beine abgefahren werden, worauf Bruno sagte: wir werden ja sehen.

In seinem Gefühlsleben hatte Bruno sich die gleiche Beschränkung auferlegt wie in der Ausübung seiner Talente. Als er sicher war, daß er niemals Klavier spielen würde wie Glenn Gould, niemals schreiben wie Lawrence Sterne, daß er in den Naturwissenschaften Einsteinsche Größe und in der Philosophie Schopenhauersche Einsicht niemals würde erklimmen können, beschloß er, seine Vorliebe für die Kunst auf eine sachkundige, aber ausschließlich passive Beschäftigung mit derselben zu begrenzen und seine übrigen Geistesgaben nur so weit kommerziell zu nutzen, als es zum Überleben unerläßlich war.

Wenn Rosalind ihm im Umgang mit seinen Fähigkeiten Verantwortungslosigkeit vorwarf – Talent bedeutete für sie auch die Verpflichtung, es zu nutzen –, bezog Bruno seine Opernsängerpose, neigte den Kopf seitwärts und sagte in einem Ton, als müsse er Rosalind über ihr Unverständnis trösten: aber weißt du denn nicht, daß ich der letzte Flaneur bin, Rosa.

Es kam vor, daß Rosalind, die angesichts solcher Wissensvergeudung Bruno gegenüber zuweilen Gefühle hegte wie ein Hungriger gegenüber einem Satten, der Speisen ins Wasser wirft, weil er ihrer überdrüssig ist, daß Rosalind, eben noch gerührt von Brunos Ausflüchten ins vorige Jahrhundert, plötzlich von einer nicht zu bezähmenden Wut gepackt wurde, die sie in einem Vokabular, das ihrem emanzipatorischen Rüstzeug entstammte und vorwiegend Wörter enthielt wie Identität, Selbstverwirklichung, Zwischenmenschlichkeit, Chauvinismus, aus sich herausschrie. Sie bezichtigte Bruno, ein Zyniker, ein durch Geburt privilegierter Snob, ein Feigling zu sein, der sich, wie Rumpelstilzchen, von dem niemand weiß, wie er heißt, die Hände reibt und heimlich über die Dummheit der anderen lacht, wobei es ihr gleichgültig gewesen wäre, über wen Bruno lachte, hätte sie nicht ständig befürchtet, er lachte auch über sie. Der Verdacht, Bruno könnte sie verachten, war allmählich und ohne daß Bruno dazu nennenswerten Anlaß geboten hätte, in ihr gewachsen und in ihrem Zusammenleben so allgegenwärtig geworden, daß manchmal ein gedankenloser Satz von Bruno, hinter dem Rosalind Verächtliches zu hören vermeinte, genügte, um sie in Tränen ausbrechen zu lassen. Derartigen Ausbrüchen stand Bruno hilflos gegenüber, und jeder seiner Versuche, Rosalind zu beschwichtigen, war zum Scheitern verurteilt, da Rosalinds Verdacht sich weniger auf durch Bruno empfangene Kränkungen gründete als auf die tiefe Überzeugung, in seinen Augen verachtenswert zu sein. Ihrem uneingestandenen Zweifel, ob ihr tägliches ehrgeiziges Bemühen an der Barabasschen Arbeitsstätte, ihr verbissener Kampf um eine ihr wichtige These oder Formulierung, der ihr als deutlichster Beweis ihrer Aufrichtigkeit verblieben war, genügte Brunos bloße Existenz, um den verborgenen Winkel, in den Rosalind ihn verbannt hatte, zu verlassen und ihr,

vermummt als beliebiger Satz aus Brunos Mund, entgegenzutreten.
Vielleicht wäre es mit dir möglich gewesen, sage ich zu Bruno, der immer noch am Tisch sitzt, an dem ich ihn vorhin nicht mehr entdecken konnte.
Ach, Rosa, sagt Bruno, während er mühsam die Lider über seine geröteten und feuchten Augen zieht, ach, Rosa, du wolltest deine Schande nicht ertragen. *Exegi monumentum aere perennius* ... wer will das heute noch von sich sagen. Wir leben alle im Zustand der Schande. Bruno lehnt sich zurück, mustert mich aus trunkenen Augen und wendet sich mit resignierendem Achselzucken wieder seinem Bier zu. Aber du glaubst mir ja nicht, sagte er. Mich halten hier ja alle für einen Idioten. Einstein. Das hat Einstein gesagt: mich halten ja hier alle für einen Idioten. Sieh mich nicht so an, Rosa, als wäre ich ein Hochstapler, nur weil ich denke, daß du mich für einen Idioten hältst. Der Alte würfelt nicht, hat er gesagt, womit er den lieben Gott meinte, und dann hat er Präsident Roosevelt die Atombombe empfohlen, weißt du, daß er die Atombombe empfohlen hat, gegen die Nazis natürlich, und dann ist sie auf Japan gefallen. *Exegi monumentum aere perennius* ..., später hat er es bereut. Nur Rosalind Polkowski mit dem Burgundischen Stolz will die Schande nicht annehmen, sie schlägt sie einfach aus wie einen Heiratsantrag.
Es war nicht meine, sage ich.
Es ist auch nicht meine, sagt Bruno, ist es Ihre, Graf, haben Sie die Schande verloren, die niemand haben will?

Oh, oh, sagt der Graf, offensichtlich froh über Brunos Aufforderung zum Gespräch, und trägt sein Bierglas bereitwillig an unseren Tisch.
Schlimm, schlimm, schlimm. Er setzt sich dicht neben Bruno und flüstert: Ihnen sage ich es, nur Ihnen, Brünoh, ich habe das wichtigste Wort verloren. Gesucht, gefunden, verloren. Der Zettel ist verschwunden, irgendwo zwischen den Seiten eines Buches, und mein Gedächtnis, Brünoh, Paradise Lost, Sie verstehen. Fünf Jahre, ach, was sage ich, zehn Jahre Arbeit, ich werde nicht die Kraft haben, es noch einmal zu suchen, welch ein Verlust, und die Schande, Brünoh, die Schande.
Bruno stößt sein Bierglas an das des Grafen. Graf, Sie sind ein ehrenhafter Mann, Sie wissen Ihre Schande zu tragen. Wenn die Welt untergeht, kennen Sie Ihren Anteil: Sie haben das Wort verloren.
Sehr zum Wohle, sagt der Graf, zum Glück sind ja die Selbstentleibungen bei Ehrverlust aus der Mode gekommen. Selbst die Japaner verzichten seit geraumer Zeit auf Harakiri. Man hat gelernt, mit der Schande zu leben. Allerdings – ich kann mich des Eindrucks nicht erwehren – tun sich die Damen doch schwerer damit; man hat ihnen in der Vergangenheit wohl zu viel Ehre abverlangt, als daß sie nun so schnell darauf verzichten könnten, habe ich recht, Madame Rosalie.
Ich möchte den Grafen nicht kränken und beschränke meine Antwort darum auf ein Verständnis heuchelndes Lächeln. Als der Ober vorbeikommt, bestelle ich drei Schnäpse für mich allein, in der Hoffnung, ich

könnte, befreit von meiner nüchternen Denkweise, endlich verstehen, von welcher Schande der Graf und Bruno sprechen. Meinen spontanen Gedanken, daß es eine Schweinerei ist, jahrtausendelang nicht mittun zu dürfen, um dann als Lastesel für die aufgehäufte Schande angestellt zu werden, verschweige ich, da ich Brunos Aversion gegen jede ihn feministisch dünkende Theorie kenne, was er selbst für einen Ausdruck seiner Achtung vor Frauen hält. Frauen seien so lange schon Frauen wie Menschen, sagt er, außer einer Frauengeschichte hätten sie auch eine Menschengeschichte, er sähe in ihnen vorwiegend Menschen.

Ach, Rosa, sagt Bruno und schüttelt dabei traurig den Kopf, willst du denn kein Erbarmen haben. Da hat man die Schande nun in die Welt gesetzt, und niemand will ihr Vater sein, niemand ihre Mutter, keine Schwester findet sich und kein Bruder. Als Waisenkind läuft sie durch die Welt, einsam und vernachlässigt. Du weißt, was daraus wird, wenn etwas einsam und vernachlässigt ist. Niedrig und gemein wird es, niedrig und gemein. Bruno trinkt, wohl um seiner Rührung nicht zu erliegen, mehrere Schluck Bier hintereinander. Aus einer verleugneten Schande kann ein mörderischer Bastard werden, sagt Bruno.

Ein durch die Schnäpse befördertes, schon deutlich spürbares Ansteigen meiner Denkleistung ermutigt mich, offensiv in das Gespräch einzugreifen.

Was ist mit deiner Schande, frage ich Bruno.

Meine Schande, sagt Bruno, meine Schande lebt in seligen Zuständen. Wenn ich merke, daß es ihr nicht gut

geht, sage ich einfach zu ihr: trinken Sie doch mal ein Bier. Und schon ist sie zufrieden.
Und was ist deine Schande, frage ich Bruno.
Aber Rosalind Polkowski, das fragst du, die du doch mit ihr im Bunde warst gegen mich. Meine Schande ist, daß ich nichts tue, Rosa, das weißt du. Und deine Schande ist, daß du etwas tust, das weißt du doch auch.
Ich tue nichts mehr, sage ich.
Dann hast du zur ersten nun eine zweite, sagt Bruno.
Um die bewußtseinserweiternde Wirkung des Alkohols, die mich, wie ich zufrieden feststelle, allmählich auf die Höhe Brunoscher Weltsicht gelangen läßt, noch zu heben, bestelle ich mir zwei weitere Schnäpse. Gut, sage ich zu Bruno, ich nehme sie, und was ergibt sich daraus.
Bruno lacht. Rosas Hang zur Eindeutigkeit. Sagen wir, du bist nicht mehr allein, sie ist immer bei dir.
Wissen Sie, Madame Rosalie, sagt der Graf in einem versöhnlichen Ton, denn der Graf, vertraut mit Brunos Trinkgewohnheiten, fürchtet, Brunos schon hörbare Streitlust könnte sich bei zunehmendem Biergenuß steigern und sich auch gegen ihn richten, wissen Sie, sagt der Graf, der Umgang mit ihr gewährt auch einige Möglichkeiten des Trostes. Seit in meiner Heimatstadt die Kirche abgerissen wurde und kein Protestant dagegen protestierte, meide ich die Innenstadt, insbesondere den ehemaligen Kirchplatz, und ziehe es vor, selbst bei starkem Regen, einen Umweg zu gehen. Es ist gewissermaßen ein Geschenk an sie, anschließend fühle ich mich jedesmal etwas wohler.

Ich nehme mir vor, ähnlich trostreiche Vergnügungen auch für mich zu erfinden. Plötzlich greift Bruno nach meiner Hand und sieht mich aus seinen feuchten Augen mitleidig an. Arme Rosa, sagt er, du hättest sie vielleicht doch nicht nehmen sollen. Wissen Sie eigentlich, Graf, daß für Rosa gut gut ist und böse böse. Sie wollte immer so gern ein guter Mensch sein. Ich will ja ein Schurke sein, und Sie, wollen Sie ein guter Mensch sein, Graf?
Igitt, igitt, sagt der Graf, ein guter Mensch, entsetzlich, nichts ist schlimmer als ein guter Mensch. In meiner Familie väterlicherseits wimmelt es nur so von guten Menschen. Eine Base meines Vaters, eine häßliche alte Vettel übrigens, war ein besonders guter Mensch. Sobald sie hörte, jemand hätte Krebs oder läge im Sterben, reiste sie dorthin, fünfhundert Kilometer fuhr sie, um einen Menschen sterben zu sehen, aus reiner Güte. Ihr größtes Glück war es, als sie einmal ihre Nachbarin, deren Mann von einem Zug überfahren worden war, ins Leichenschauhaus begleiten durfte. Schlimm, schlimm, schlimm.
Das Wunderbare an Rosa ist, sagt Bruno, daß sie es nicht schafft, ein guter Mensch zu sein, weil sie sich dabei so langweilt; darum will ja auch die Kirche nicht das Himmelreich auf Erden, weil es auf der Erde interessant bleiben soll.
Ganz recht, ganz recht, sagt der Graf und lacht beifällig.
Bruno legt beide Hände auf meine Schultern und versucht, seine Augen in Parallelstellung zu bringen, um

mir damit prüfend in meine Augen zu sehen. Aber Rosa, vielleicht bist du gar nicht mehr Rosa, wenn du aufhörst, ein guter Mensch sein zu wollen?
Ach, sage ich, so gesehen, bin ich längst nicht mehr Rosa. Ich habe es aufgegeben, als Mensch zu leben. Ich bin jetzt nur noch ein Kopf, und als Kopf hält man die reine Güte ganz und gar nicht aus, andererseits bleibt die Bösartigkeit eines Kopfes, solange er unter den Menschen keine Helfer hat, ohne Folgen. Außerdem bin ich mir nicht sicher, ob ich wirklich ein guter Mensch sein wollte oder ob ich nur wünschte, daß die anderen mich dafür halten. Eigentlich wollte ich lieber lügen und stehlen können wie Martha.

*

Das Zimmer lag in einer stumpfen, nur durch das unlebendige Licht einer Straßenlaterne gebrochenen Finsternis, die sich Rosalind als einen gewaltigen schwarzen Trichter vorstellte, der überall war, jeden Ton schluckte und ihn auf dem Weg durch seinen, sich endlos verjüngenden, Hals in Stille verwandelte. Es war so still, daß Rosalind hören konnte, wie ihr Blut durch die Adern rauschte. Das lebt also, dachte sie, das lebt noch wie ein fremdes Tier in mir und wehrt sich. Einige Minuten lang glaubte sie, genau zu spüren, wie das Blut auch durch ihre Beine floß, runter und rauf, in jeden Zeh, dann wieder durch Waden und Schenkel bis in den Bauch. Es wehrt sich, weil es nicht sklavisch als das notwendige Übel eines Kopfes vegetieren will, dachte sie. Aber zu spät, du wehrst dich zu spät, du warst nicht leidenschaftlich und nicht gierig genug, um dem Kopf seinen Anspruch auf Alleinherrschaft zu bestreiten. In Clairchen muß ein anderes, wilderes Blut gelebt haben, und auch in Martha, eins, das sich auflehnen mußte gegen die Dressur, das in den Kopf stieg, daß der fürchtete zu zerplatzen wie eine überreife Melone und darüber alle anderen Ängste vergaß: die Angst, nicht zu wissen, was morgen sein wird; die Angst vor Strafe, vor Schmerz; die Angst, allein zu sein; sogar die Angst zu sterben.

Ich sage nicht, daß du ängstlich warst oder gar feige, du hast zu wenig gewollt. Hättest du einmal, einmal nur, darauf bestanden, zu stehlen oder am Oranienburger Tor so lange auf und ab zu gehen, bis einer kommt, der es für Geld machen will; hättest du mich gezwungen, öffentlich auf die Polizei zu schimpfen oder einen Kiosk zu knacken, hätten sie mich vielleicht ins Gefängnis gesperrt, und danach wäre nichts geblieben, wie es war. Statt dessen hast du dem Kopf sogar gestattet, Bruno zu verlassen. Warum hast du dich nicht erhitzt und bist schäumend und siedend in die Arme und in die Beine geströmt, um ihnen zu befehlen, Bruno festzuhalten, sich an ihn zu klammern und ihn zu verteidigen wie ein Tier seine Beute. Immer bliebst du stumm oder zaghaft, wenn ich von euch wissen wollte, wie ich mich entscheiden soll, während der Kopf seine Lehrsätze, Verhaltensregeln und Vorsichtsmaßnahmen zum Schutz der Ordnung, die ihm eingebleut war, auffuhr wie ein General seine Divisionen. Er hat zu gut gelernt, dachte Rosalind. Als sie noch ein Kind war, hatten ihr Körper und ihr Kopf in besserem Einvernehmen miteinander gelebt, und nie gab es eine Traurigkeit des Kopfes, ohne zugleich die des Körpers zu sein. Wenn Rosalind unglücklich war, beschränkte sie ihre Nahrungsaufnahme auf Wasser und Brot, zog die Bezüge von den Betten und schlief im nackten Inlett, um so in sich die Vorstellung zu nähren, sie sei die Gefangene imaginärer Feinde, die, da sie zumeist Rosalinds jeweiliger Lektüre entstammten, in Gestalt von Hexen, bösen Stiefmüttern oder Feinden der Revolution auftraten. In jedem Fall aber bedurfte das empfundene Unglück einer äußeren Entsprechung, die Rosalinds Körper, indem er lustvoll auf Annehmlichkeiten verzichtete, bereitwillig leistete.

Es ließ sich nachträglich nicht sagen, wann und wie diese Übereinstimmung verlorengegangen war und sich später sogar in ihr Gegenteil verkehrte, wer oder was ihrem Körper die in der Kindheit zugestandene exzessive Teilnahme an Glück und Freude versagt hatte, ob es die Erwachsenen waren oder Rosalinds eigene Erfahrungen, die ihr aus Furcht vor der Lächerlichkeit die Scham beibrachten und ihrem Körper statt wilder Luftsprünge und spontaner Freudentänze Beherrschung abverlangten. Nur glaubte Rosalind, daß dem Verlust der gemeinsamen Trauer von Kopf und Leib der Verlust der gemeinsamen Freude vorausgegangen sein mußte. Der Wandel vollzog sich als lautlose, scheinbar natürliche Folge des Erwachsenwerdens. Der Kopf begann, dem Körper zu mißtrauen, er bezichtigte ihn, häßlich und unzuverlässig zu sein, er verleugnete ihn, indem er seine Nacktheit selbst im Sommer sorgsam verhüllte und nicht einmal die Haut der Arme fremden Blicken preisgab. Der Körper rebellierte gegen die aufgezwungene Unfreiheit durch Krankheit oder er rächte sich, sobald der Kopf, müde oder von Alkohol berauscht, in seiner Aufmerksamkeit nachließ, durch unberechenbare Ausbrüche, die ihm in der Folge nichts einbrachten als eine um so strengere Bewachung. Die Impulse, die von den Beiden auf ein Drittes ausgingen, das es in Rosalind gab und das sie geneigt war, als Seele zu bezeichnen, waren von so verschiedenem Charakter, daß Rosalind oft glaubte, sie müsse sich in zwei Personen teilen, wollte sie an dem ihr innewohnenden Zwiespalt nicht irre werden. Wenn sie neben Bruno lag, wünschte sie sich, nur ein kopfloser Körper zu sein, der nichts wußte und nichts kannte außer seiner eigenen animalischen, schamlosen Gier, sich zu paaren, während sie gleichzeitig voller Befremden sah, wie ihre Beine sich bewegten, hörte, wie ihr Atem sich beschleunigte, fühlte, wie sich der Speichel in ihrem Mund sammelte. Rosalinds herrischer Kopf bemühte sich, das ergebene und unterwürfige Treiben des Körpers zu mäßigen, bis dieser, von Natur oder durch Gewohnheit dem Kopf unterlegen, beschämt innehielt und sich fügte. Wenn es dem Körper aber gelang, was selten vorkam, sich der Kontrolle zu entziehen und, einmal frei, den Kopf in seinen

Dienst zu zwingen, so wie er diesem sonst diente, wenn er den Kopf nötigte, die Scham zu vergessen und keine höhere Lust mehr zu kennen als die der Unterwerfung, stürzte Rosalind für Stunden, manchmal für Tage, in tiefe Verwirrung. Wie von einer Krankheit infiziert, verharrte ihr Kopf dann in dem ungewohnten Genuß, nur damit beschäftigt, sich zu erinnern, den Körper zu erinnern an die Berührungen und Ekstasen, so eins mit ihm, daß kein anderer Gedanke, den Rosalind zu fassen suchte, Raum fand, das Spiel zu stören. Selbst wenn der Kopf sich langsam wieder aus der Verschmelzung löste, haftete ihm für eine Weile noch das ergebene, zu masochistischen Empfindungen neigende Wesen des Körpers an, was ihn aller Sicherheit und Angriffslust, die ihm für gewöhnlich eigen war, beraubte und Rosalind, an der Barabasschen Arbeitsstätte gemäß der elften Feuerbachthese von Karl Marx als weltverändernder Kopf angestellt, für die ihr zugewiesene Arbeit untauglich machte. Letztlich aber blieb er der Sieger und bot, gewarnt durch derartige Überrumplungen, dem Körper immer seltener Gelegenheit, seine existenzgefährdenden Eskapaden zu wiederholen.

Mann, Rosi, sagt Clairchen und wirft sich ächzend auf das Sofa, wobei sie, wie zu ihren Lebzeiten, leibzerfetzend hustet. Haste Roochen, fragt sie, während sie nach der Zigarettenpackung auf dem Tisch greift, Mann, Rosi, nu hör uff zu jammern und sei froh, daß de nich meine zwee Zentner Weiberfleisch zu bewachen

hast, dafür müßteste nämlich wenigstens ne Hydra sein, und denn brauchste ooch noch ne Menge Glück, daß de nich uff Herakles triffst. Weeßte, wat der Rübe passiert, wenn sich son Haufen Fleisch in Bewejung setzt. Die ackert, bis de ne Bräjenpanne hast, totale Bräjenpanne; dit Jehirn is ja gleich jeblieben, bloß dit Fleisch hat sich verdoppelt. Darum ham ooch alle so ville Angst vor den Dicken, instinktiv, weil bei denen dit Verhältnis von Hirn- und Körperfleischzellen inadäquat is, verstehste, inadäquat. Entweder kriegense ihr Fleisch nich in Bewejung oder nich zur Vernunft, wie ick, ick habs nich zur Vernunft bewejen können, und dem Kopp blieb nischt weiter übrich, als sich sehenden und tränenden Auges von dem wildjewordenen Fleisch mitschleppen zu lassen und uff ne günstige Jelegenheit für ne Palastrevolution zu warten und dit Fleisch abzumurksen, sich selbst gleich mit, aber dit jeht nun mal nich anders.
Es muß eine andere Möglichkeit geben, mit sich eins zu werden, als sich in einen Kastanienbaum zu hängen oder sich die Beine abzuhacken, sage ich.
Mit sich eins werden, haha; Clairchens Versuch zu lachen verendet in einem neuerlichen Hustenanfall. Über deine Paradiessucht hätt ick mich schon immer dodlachen können, sagt sie und wischt sich dabei den Speichel vom Mund, leider fehlt mir dazu die nötje Feuchtigkeit in der Kehle.
Im Kühlschrank, sage ich.
Clairchen stapft durch den neunmeterlangen Korridor in die Küche, holt aus dem Kühlschrank alle Flaschen,

in denen sie Alkohol vermutet, darunter auch die letzte Flasche Schlehenwein aus Idas Nachlaß. Der ist für dich, sagt sie und nimmt selbst einen Schluck aus der Wodkaflasche. Wat solln dit sein: mit sich eins sein. Ick kannte mal eene, die rannte von Psychiater zu Psychiater und suchte bei denen ihre verlorene Identität, bis se rausjefunden hat, daß se durchschnittlich bejabt, durchschnittlich hübsch und durchschnittlich schlau is. Nu sitzt se inne Klapsmühle, gloobt, sie is Brigitte Bardot, ist jung, versteht sich, und fühlt sich janz mit sich identisch.
Martha war eins mit sich, sage ich.
Clairchen kreuzt ihre Beine zum Schneidersitz, wobei sich ihr Rock weit über die dicken Knie schiebt und ich, ohne es eigentlich zu wollen, feststelle, daß sie wieder keine Unterhosen trägt. Seit Clairchen, die trotz ihrer Leibesfülle über sportliche Fähigkeiten verfügte, an einem Sonntag inmitten der Spaziergänger im Pankower Schloßpark ein Rad schlug, ohne daran zu denken, daß sie unter ihrem Rock nackt war, bin ich nie mehr mit ihr auf die Straße gegangen, ohne mich vorher der Korrektheit ihrer Kleidung zu vergewissern.
Martha war fünf oder sechs oder noch mehr, sagt Clairchen, jedenfalls is se nie auf die Idee jekommen, eins sein zu wollen, was ihr erspart hat, sich wie zwei zu fühlen: Weeßte, daß ick mit Martha eine Nacht uffn Strich jegangen bin, weil se unbedingt wissen wollte, wie dit is. In Leipzig, zur Messe, da isset erlaubt. Martha sojar für Westmäuse, ick hab nur ee-

nen für Ost jekriegt. Plötzlich reißt Clairchen ihre geschwollenen Säuferaugen auf, zeigt in die hintere Ecke des Zimmers und flüstert: Mann, Rosi, wer sind denn die.

Drittes Zwischenspiel

Der Mann in der roten Uniform:

Meine Damen und Herren. Als Beauftragter der Staatlichen Behörde für Psychokontrolle werde ich Ihnen jetzt einige Probleme der Persönlichkeitsidentität, Identitätskrisen, Identitätskarten und der Identitätskontrolle darlegen. Das erfordert von Ihrer Seite absolute Ehrlichkeit. Geldsorgen, Stuhlgang, Geschlechtsverkehr, alles offen auf den Tisch, Sie verstehen mich. Wer ist wer, die entscheidende Frage, auch in imperialistischen Kreisen von allerhöchstem Interesse, wie man aus dem jährlichen Neuerscheinen des großen Identitätswerkes ›Who is who‹ schließen kann. Wer ist wer – die wichtigste Voraussetzung für die Grundfrage unserer Zeit: wer wen. Also fangen wir an. Wer sind Sie, mal hübsch der Reihe nach.

Die Frau mit der eigenen Meinung:

Na hören Sie mal, denken Sie vielleicht, ich bin verrückt, ich bin überhaupt nicht verrückt. Mir muß keiner sagen, wer ich bin, dazu habe ich meine ganz eigene Meinung. Jawohl.

Sie zieht ihren Personalausweis aus der Tasche und liest vor:

Dora Ottilie Friederike S., geboren am 13. 3. 1935 in Berlin, verheiratet. Das bin ich, und damit bin ich auch identisch. Da sehen Sie, daß ich völlig normal bin. Vielleicht ist der da nicht normal, der mit seiner Kindheit, vielleicht weiß der gar nicht, wer er ist.

Der Mann mit der blutigen Nase:

Der schlimmste Mann im ganzen Land, das ist und bleibt der Denunziant. Das gilt übrigens auch für Frauen.

Die Frau mit der eigenen Meinung:

Da haben Sie es, Herr Kontrolleur, man darf hier nicht mal seine eigene Meinung sagen, nicht mal helfen darf man seinem Nächsten. Wenn er nicht weiß, wer er ist, muß man es ihm doch sagen. Oder nicht.

Der Mann in der roten Uniform:

Sehr richtig, aber wer sagt es ihm. Hier stellt sich die Frage: wer wem. Und die Antwort lautet: ich. Ich sage es ihm, als Beauftragter meiner Behörde. Warum. Weil meine Behörde weiß, was für die Gesellschaft gut ist. Und wie bei Marx sehr richtig steht, ist, was für alle gut ist, für den einzelnen erst recht gut, womit wir dem Problem der Identität bedeutend nähergekommen sind.

Der Mann mit der traurigen Kindheit:

Bitte, dürfte ich einen Vorschlag unterbreiten. Ich schlage vor, wir klären zunächst den Terminus.

Sprechen wir von konkreter oder abstrakter Identität, von $A = A$ oder von $x = y$ oder von $x \equiv y =_{\text{Def}} \forall (P) [P(x) \leftrightarrow P(y)]$, wobei $\equiv$ die Identitätsrelation, $\leftrightarrow$ die Äquivalenz und $\forall$ den Alloperator bedeuten. Beziehen wir uns auf Heraklit, auf Parmenides, Aristoteles, Schelling, Hegel, Leibniz oder Marx. Könnten wir das bitte zunächst klären.

Die Frau mit der eigenen Meinung:

Das haben wir gerne: weiß nicht mal, wer er ist, aber protzt mit dem bißchen Bildung rum, das er auf unsere Kosten anschaffen durfte, statt dankbar zu sein. Denken Sie bloß nicht, ich laß mich von Ihnen blöde machen, ich merk mir trotzdem, wer ich bin.

Die Frau mit der hohen Stimme:

A oder Y, so ein Tüttelkram. Edel sei der Mensch, hilfreich und gut, das hat Tante Friedi mir ins Poesiealbum geschrieben, als ich noch ganz klein war. Darum habe ich mich auch immer bemüht. Und dann hat Papi uns verlassen. Seitdem bin ich nur noch die Hälfte von mir. Kind, du bist gar nicht mehr du selbst, hat Mami gerade erst zu mir gesagt. Ich bin nur in der Familie ein starker Mensch.

Die Frau mit dem zarten Wesen:

Sie hätten sich eben emanzipieren müssen von Ihrem Papi. Das sage ich oft zu Piti: Piti, ich muß mich jetzt selbstverwirklichen, damit ich meine Identität finde, sonst werde ich nicht emanzipiert. Sie hätten sich selbstverwirklichen müssen.

Der Mann in der roten Uniform:

Wir kommen zu den Identitätskrisen, welche sich äußern in, ich bitte um Aufmerksamkeit, sich äußern in umfassender und anhaltender Unzufriedenheit, deren Ursache der unidentische Mensch nicht bei sich selbst, sondern in seiner Umgebung sucht, im Ehepartner, im Beruf, sogar in der Regierung. Der unidentische Mensch denkt aufrührerisch und strebt Veränderungen an, was ihn zu einem gesellschaftsgefährdenden Subjekt, in Einzelfällen sogar zum Kriminellen macht. Denn der unidentische Mensch hat die ihm zugewiesene Identität verlassen, um in seelischer Heimatlosigkeit als vaterlandsloser Geselle zu vegetieren. Er ist der ewige Jude.

Die Frau mit der hohen Stimme weint laut in ihr Taschentuch mit dem blaßlila Häkelrand:

O mein Gott, warum hat Papi mich nur verlassen. Die armen Kinder. Ich möchte ja so gern wieder identisch sein.

Die Frau mit der eigenen Meinung:

Haben Sie denn keine Ohren an Ihrem Kopf. Sie sollen zufrieden sein, dann sind Sie auch wieder identisch.

Die Frau mit der hohen Stimme weint lauter.

Der Mann mit der blutigen Nase: Ihre simple Weltbetrachtung verschreckt sensible Seelen. Meine Dame,

sagt der Mann mit der blutigen Nase zur Frau mit der hohen Stimme, was Ihnen fehlt, ist eine Überzeugung, vertrauen Sie meiner jahrzehntelangen Erfahrung.

Er betastet vorsichtig seine Nase, um zu prüfen, ob sie blutet.

Eine Überzeugung hilft. Treten Sie einer Partei bei, einem Verband oder einem Komitee. Dann sind Sie ein Mitglied, und wenn Sie sich Mühe geben, werden Sie schnell ein wertvolles Mitglied oder sogar ein unentbehrliches Mitglied, und Sie werden erleben, wie identisch Sie sich bald fühlen.

Der Mann in der roten Uniform:

Und zufrieden, sehr richtig. Das höchste Ziel meiner Behörde ist die identische Zufriedenheit unserer Menschen. Alle für einen, einer für alle. Denken Sie an das beglückende Bild siegreicher Fußballmannschaften. Und worin liegt die Stärke siegreicher Fußballmannschaften. In ihrer richtigen Überzeugung, siegen zu müssen. Die richtige Überzeugung ist der richtige Weg zum Glück. Ich schlußfolgere: Hauptaufgabe der Identitätskontrolle ist die Überzeugungskontrolle. Ich schlußfolgere: die Überzeugung gehört in die Identitätskarte wie das Geburtsdatum. Ich schlußfolgere: jeder muß eine Überzeugung haben, da er sie sonst meiner Behörde nicht mitteilen kann, und er muß eine richtige Überzeugung haben, damit er nicht durch Verschweigen derselben oder durch wissentlich falsche Überzeugungsangabe straffällig wird.

Der Mann mit der traurigen Kindheit:

Bitte, was tut man aber, wenn eine Überzeugung sich im Laufe eines Lebens wandelt. Ich frage das nur im Sinne der Dialektik.

Die Frau mit der eigenen Meinung:

Wenn Sie Ihr Auto umspritzen lassen, müssen Sie es schließlich auch der Polizei melden. Das ist nun wirklich nicht zuviel verlangt. Meine eigene Überzeugung kann ich jedem sagen, da ist nichts Falsches dran.

Die Frau mit dem zarten Wesen:

Sind auch besondere Überzeugungen erlaubt.

Der Mann mit der roten Uniform:

Wenn es besonders richtige Überzeugungen sind, warum nicht. Das handhabt meine Behörde großzügig.

Clairchen atmet gelangweilt aus, greift sich mit beiden Händen an den Kopf und nimmt ihn ab. Darunter kommt ein kleinerer, durchscheinender Kopf zum Vorschein, nicht größer als ein Puppenkopf zuerst, der langsam anschwillt und, wie plötzlich von Blut durchströmt, eine gelblich-rosa Färbung annimmt und nun aussieht, als hätte er einmal der Garbo gehört. Sobald der Kopf eine normale Größe erreicht hat, beehrt er Rosalind mit einem müden Augenaufschlag. Clairchen setzt sich ihren alten Kopf auf den Schoß wie eine Katze und streichelt ihm das Haar. Arme Rübe, sagt sie dabei, arme, alte Rübe.
Clara, sagt Rosalind, will sie sagen, findet aber ihre

Stimme nicht unter dem würgenden Gefühl im Hals. Sie hustet, um sich bemerkbar zu machen.
Staunste, wat, sagt Clairchen mit ihrem feinen, weltberühmten Mund und hängt den beiden Worten ein schwermütiges Lächeln an.
Clara, bist du's, kann Rosalind endlich fragen.
Wer denn sonst, sagt Clairchen.
Rosalind zeigt auf den Garbokopf, der sich fremd wie das Haupt einer Sphinx auf dem Löwenkörper zwischen Clairchens Schultern wiegt.
Bin ick ooch, sagt Clairchen. War ick immer, haste bloß nich jesehn, keiner hats jesehn, wegen der Stimme und dem janzen Rest. Wenns nur am Jesicht jelegen hätte, oh Mann, davon hab ick jenuch, die wachsen mir einfach zum Halse raus.
Clairchen liebkost den Kopf auf ihren Knien, während der Garbokopf sich mit einem weichen Schwung die Locken aus dem Gesicht wirft. Ick kann bloß nischt anfangn mit den Dingern, weil der Inhalt von der Rübe der alte bleibt, verstehste. Kaum trink ick zwee Schnäpse und fang janz vorsichtig an, wat zu denken oder sojar wat zu sagen, schon entgleisen mir die Züje und allet is wie jehabt. Paß uff, ick denke jetzt wat Schlauet, sagt Clairchen, stützt ihren zarten Kopf in beide Fäuste, kaut an ihrer Unterlippe, gräbt ihre Fingernägel in das rosige Fleisch der Garbowangen, und tatsächlich gleicht sie innerhalb weniger Sekunden wieder ihrem gewohnten Bild. Sie hebt den Kopf, sagt: Fertig. Willste wissen, wat ick Schlauet erdacht habe: Jilt das fünfte Jebot auch für den Henker, sagt Clair-

chen und bricht in ein dröhnendes, von Husten verunstaltetes Gelächter aus, das sich langsam, wie das Geräusch eines fahrenden Zuges, entfernt.

*

Rosalind lernt zu verstehen, was eine Wand ist. Zu diesem Zweck sieht sie unablässig auf eine der Wände, die sie umgeben, mit Ausnahme der Fensterwand, die für ihr Problem nicht charakteristisch ist. Dauerndes Betrachten eines Gegenstandes hält Rosalind für eine Möglichkeit, ihn zu erkennen. Sie darf sich dabei weder anstrengen noch übermäßig konzentrieren; sie muß ihn nur unentwegt ansehen.
Die Erkenntnis vollzieht sich in vier Phasen.
Während der ersten sammelt sie alle Informationen über den Gegenstand, die ihr bereits bekannt sind. In der zweiten mobilisiert sie früher Gewußtes und wieder Vergessenes, wobei sie mit anhaltender Dauer des Betrachtens auch einige versteckte Eigenschaften ihres Objekts bemerkt. Die dritte Phase offenbart, was der zu erkennende Gegenstand unter anderen als den vorgefundenen Umständen sein könnte. Während der vierten unendlichen Phase beschäftigt sich Rosalind damit, was ihr Gegenstand nicht ist.
Über die Wand findet Rosalind im Laufe eines Nachmittags folgendes heraus:
Eine Wand, die in keiner Beziehung zu einer anderen Wand steht, ist eine Mauer. Ein System aus vier Wänden und einem Fußboden, einzig nach oben mit einer

Öffnung versehen, ist ein Loch. Ein Raum aus vier Wänden mit Decke, Fußboden und einer Tür, die durch den Insassen des Raumes nicht zu öffnen ist, ist ein Gefängnis. Ein Raum mit Fenstern und einer Tür, die nach Belieben von beiden Seiten geöffnet und geschlossen werden kann, ist ein Zimmer. Die Wand kann den Betrachter von etwas abschirmen oder etwas vom Betrachter. Wände trennen das eine vom anderen, man kann an eine Wand klopfen. Die Wände um Rosalind trennen sie von dem Nachbarn, vom Hausflur, vom Korridor und von der Straße. Sie hält sie alle für unverzichtbar. Je länger sie ihre Wände betrachtet, um so sicherer wird sie in der Annahme, daß Wände zu den wichtigsten Regulatoren des menschlichen Zusammenlebens gehören.

Und jetzt, sagt Rosalind, werde ich mit dem Kopf durch die Wand gehen.

*

Durch die Straße geht ein Mann. Jeden Tag, bei jedem Wetter, umkreist er das Viertel, wobei er die Schritte nur mit dem linken Fuß macht, dann den rechten nachzieht bis zum linken, wieder den linken vorsetzt, und so geht er. In der Höhe des rechten Oberschenkels baumelt an dem leblosen Arm die leblose Hand, ein unsinniges Stück Fleisch. In der anderen Hand hält er den Stock, auf den er sich beim Gehen stützt. Früher fuhr der Mann als Schaffner auf der Straßenbahnlinie sechsundvierzig, die Pankow mit dem Stadtzentrum verbindet. Als Kind war Rosalind davon überzeugt, daß der Mann Nazi gewesen war, weil sie sich einen Nazi vorstellte wie den Mann. Damals war er kräftig, von mittlerem Alter mit gesunden Gliedmaßen, einem bleichen, an den hängenden Wangen grau schimmernden Gesicht, aus dem das Kinn augenfällig hervorsprang und den Eindruck von Grausamkeit erweckte. Wen der Mann mit einem Blick aus seinen kalten Augen bedachte, den befiel ein dunkles Unbehagen. Er sah fast teilnahmslos auf die Dinge und die Menschen um ihn, aber dahinter, schien es Rosalind, verbarg sich etwas Bedrohliches, das sich jeden Augenblick unter Gelächter zu erkennen geben könnte. Jetzt hat der Mann nur noch ein Auge. Wo das andere war, klafft eine wunde klebrige Höhle, in der er nur manchmal ein Glasauge trägt. Mit seinem einzigen Auge starrt er beim Gehen auf den einen Meter vor seinen Füßen, für den er zehnmal den linken Fuß vor den rechten setzen muß und zehnmal den rechten bis zum linken, und sucht Zigarettenkippen. Wenn er eine findet, bückt er sich schneller, als man ihm zutrauen kann, hebt sie auf und verbirgt sie in seiner Jackentasche. Seine Füße stecken in Schuhen, die an den Fersen zwei Zentimeter überstehen und die ihm von dem Altersheim zugeteilt wurden, in dem er wohnt. Rosalind glaubt, daß der Mann zweihundert Jahre alt ist. Sie glaubt, daß der Mann unsterblich ist. Zuerst war der Mann Nazi, dann Schaffner, jetzt ist er lahm und einäugig und sammelt Kippen. Er geht und geht.

Als Rosalind ihren Kopf durch die Wand stieß, war es

Nacht, angefüllt mit feuchtmodriger Herbstluft und einem unbestimmten Licht, das aus vereinzelt erleuchteten Fenstern, den Straßenlaternen und dem halben Mond zusammenfloß. Rosalind war sicher, daß der Mann, obwohl das Altersheim um diese Zeit seinen Insassen den Ausgang untersagte, nicht weit von hier seine Runden ziehen oder auf einer Bank am Spielplatz sitzen würde, wo er sich auch während seiner Rundgänge am Tage zuweilen ausruhte. Ich werde ihn ansprechen, dachte sie, heute werde ich ihn endlich ansprechen. Sie fand ihn auf den Stufen eines Hauseingangs in der Kavalierstraße, wo er stumm und einäugig saß, die einwärts gestülpten Lippen über dem zahnlosen Kiefer fest verschlossen, mit schwerem Atem, den er versuchte zurückzuhalten, als Rosalind sich ihm näherte. Rosalind blieb am Zaun des Vorgartens stehen. Guten Morgen, sagte sie, nachdem sie eine Weile überlegt hatte, welchen Gruß sie wählen sollte, und sich dann, wegen der Stille, die auf eine Stunde zwischen Mitternacht und fünf Uhr verwies, für Guten Morgen entschieden hatte. Der Alte antwortete nicht, sondern kroch in seinen eigenen Schatten und senkte den Kopf auf die Brust, als könnte er sich so verstecken.
Wollen Sie eine Zigarette, fragte Rosalind, weniger zaghaft angesichts der Angst des Mannes. Durch die magere Gestalt lief ein leichtes Zucken.
Nehmen Sie ruhig, sagte Rosalind und wagte einige Schritte auf den Mann zu. Die Zigarettenschachtel hielt sie ihm mit ausgestrecktem Arm entgegen. Der Alte hob den Kopf und warf mit seinem Auge einen gieri-

gen Blick auf die volle Schachtel, im Zwiespalt, ob er sich für die Zigarette oder für seine Einsamkeit entscheiden sollte. Dann griff er zu. Seine gichtig verkrümmte Hand schoß aus dem Dunkel wie ein kranker Habicht. Es kostete ihn Mühe, mit seinen steifen Fingerspitzen eine Zigarette zu fassen. Er wollte sich bedanken, aber seiner des Sprechens ungeübten Kehle entkam nur ein hohl tönendes Gurgeln, das Rosalind an eine Geschichte von Edgar Allan Poe erinnerte, in der ein Mann, während des Sterbens hypnotisiert und über den Tod hinaus in Trance gehalten, mit einer, wie der Autor beteuerte, unbeschreiblich fürchterlichen Stimme sagt: Ich bin tot.

Der Alte sog tief an der Zigarette, ohne den Kopf zu heben. Nur die angespannte Haltung seines dürren Körpers ließ darauf schließen, daß er Rosalinds Anwesenheit bemerkte. Plötzlich stieß er einen unwilligen Laut aus und gab ihr mit einer kraftlosen Bewegung seiner Hand zu verstehen, sie möge weitergehen.

Ich sehe Sie oft. Schlafen Sie nie, fragte Rosalind schnell und bemühte sich, ihrer Stimme den Ton geschwätziger und angetrunkener Harmlosigkeit zu verleihen. Der Alte brummte etwas Unverständliches vor sich hin, räusperte sich, sagte noch etwas, wovon Rosalind die Wörter Erbsen und Bohnen zu verstehen glaubte, aber keinen Sinn darin fand.

Nach Erbsen und Bohnen bekomme ich Bauchschmerzen. Kann nicht schlafen, sagte der Alte laut, als hätte er seine Stimme nun auf die richtige Frequenz eingestellt, und so deutlich, wie seine Zahnlosigkeit es zuließ. Immerzu Erbsen oder Bohnen, zweimal die Woche Erbsen und Bohnen, Dienstag Erbsen und Donnerstag Bohnen, oder Dienstag Bohnen und Donnerstag Erbsen. Erbsen und Bohnen, Bohnen und Erbsen. Mit jeder Wiederholung der Wörter Erbsen und Bohnen steigerte sich der Haß in der Stimme des Alten, was sich besonders im Zischen des S bei Erbsen ausdrückte. Rosalind stand hilflos vor dem Mann, dessen unerwarteter Ausbruch sie erschreckte, wenn sie auch etwas von der beängstigenden, in diesem verstümmelten Körper verborgenen Energie geahnt hatte. Das tut mir leid, sagte sie leise, worauf den Alten ein widerwärtiges, höhnisches Gelächter schüttelte, so daß Rosalind glaubte, seine Knochen knacken zu hören. Kriegen selber eines Tages Erbsen und Bohnen, sagte er, wer alt ist, kriegt Erbsen und Bohnen. Dann saß er wieder still, starrte mit seinem Auge vor sich hin und rauchte.

Sie gestatten doch, sagte Rosalind und setzte sich neben ihn, obwohl sie sich vor seiner Häßlichkeit und dem Geruch, der von ihm ausging, ekelte. Er gab kein Zeichen der Zustimmung oder Ablehnung, vielleicht hoffte er auf eine weitere Zigarette. Wenn man nicht mehr geht, stirbt man, sagte er unvermittelt, man muß gehen, immerzu gehen. Und die Kinder erschrecken, alle erschrecken sich, wenn sie mich sehen. Er lachte lautlos.

Mich haben Sie früher auch erschreckt, als Sie noch Schaffner waren, sagte Rosalind.

Bist schwarz gefahren, was, sagte der Alte und hob das Lid über dem gesunden Auge.

Ich hatte eine Monatskarte.
Er winkte ab.
Damals glaubte ich, Sie wären Nazi, sagte Rosalind leichthin, als hielte sie selbst solchen Verdacht inzwischen für absurd, für die Ausgeburt einer kindlichen Phantasie eben.
Jaja, Nazi, sagte der Mann, da war ich jung, schnittiger Kerl, Uniform. Gleich war Emmi scharf. Das Aas, haha, nach jedem Aufmarsch war sie scharf. Kurt, der Idiot, ist bei den Sozis geblieben, mit mir nicht, nicht mit mir. Schlimme Zeiten, schlimme Zeiten, ist ja alles rausgekommen, in der Zeitung hat alles gestanden. Der Verbrecher. War scharf auf den, Emmi. Ein Genie war er, sage ich. Aber kein Schwanz, der hatte keinen Schwanz. Alles ist rausgekommen, aber der Jude hätte sich nicht so vordrängen sollen. Blockwart, pah, Blockwart, ich hab keinen angezeigt. Verführt sind wir worden. Hat ja alles in der Zeitung gestanden. Danach. Aus der Traum. BohnenundErbsen, ErbsenundBohnen.
Das Auge des Alten irrte ziellos durch die Dunkelheit, während er vor sich hinsprach. In seinen Mundwinkeln sammelte sich schaumiger Speichel. Rosalind verstand nur mit Mühe die zahnlos zerkauten Sätze. Emmi war gestorben, gleich nach dem Krieg, vergewaltigt, Unterleibstyphus. Röhm hätten sie nicht umbringen dürfen. Dann, schien es, war die Kraft des Alten verbraucht. Er schwieg. Rosalind gab ihm eine Zigarette, die er, diesmal ohne sich zu bedanken, nahm.
In einem Fenster des gegenüber stehenden Hauses flammte Licht auf. Rosalind empfand Dankbarkeit für

den fremden Schlaflosen, dessen unerwartetes Lebenszeichen sie von der angstvollen Vorstellung erlöste, der Alte und sie seien die einzigen, verhängnisvoll aneinander gebundenen Menschen auf der Erde. Sie wagte einen Blick in seine ihr zugewandte Gesichtshälfte mit der eingefallenen eitrigen Augenhöhle. Ein verblödeter, halbverfaulter Greis, dessen Geheimnis im Qualm von zwei Zigaretten verweht war. Morgen wird er sterben oder übermorgen oder in einem Jahr. Die Leitung des Altersheims wird seinen Tod als ein freigewordenes Bett an die zuständige Behörde des Stadtbezirks weitermelden und ein einfaches Begräbnis in Auftrag geben. Ein Hund tauchte lautlos aus dem Dunkel auf und blieb freundlich wedelnd in der offenen Gartentür stehen. Er war kleinwüchsig und krummbeinig, was auf die Beteiligung eines Dackels an seiner Schöpfung schließen ließ. Sein Schwanz, der sich steil ringelte, erinnerte an einen Schweineschwanz, stammte aber wahrscheinlich von einem Spitz, wogegen der Kopf sogar einen Schäferhund in der Ahnenreihe vermuten ließ. Als Rosalind ihn rief, näherte er sich vorsichtig und ließ sich den Kopf streicheln, wobei er nach einer Weile genüßlich die Augen schloß. Plötzlich spritzte warme Nässe gegen Rosalinds Hand. Der Hund raste kläffend davon, während der Alte den Rest seiner Pisse auf die Erde laufen ließ.
Der Alte lachte mit weit aufgerissenem Mund, so daß sein zahnloser Kiefer feucht und obszön wie Eingeweide sichtbar wurde. Blöder Hund, sagte er, läßt sich anpissen.
Rosalind war aufgesprungen, stand vor dem Mann,

dessen Schwanz aus der offenen Hose hing wie eine vertrocknete Wurzel. Die Pisse auf ihrer Hand brannte, als hätte sie in Brennesseln gegriffen. Du Sau, sagte Rosalind, du alte mistige Pissau. In ihr tobte der Ekel und fand keine Worte. Du stinkender Dreckhaufen, Kackhaufen, Faschist, Nazi, nicht mal dazu hat's gelangt, nicht mal zu einem richtigen Nazi hat's gelangt, feiger dreckiger Pissmitläufer. Der Alte stand auf und schlurfte wortlos in Richtung Becherstraße davon; den linken Fuß vor den rechten, dann den rechten bis zum linken.

Martha liebte Bahnhöfe und menschenleere nächtliche Hotelhallen. Die Sehnsucht danach überkam sie so unabweisbar wie Hunger oder Durst. Sie sprach dann kaum noch, hörte nicht mehr zu, sondern blickte unruhig und nervös auf die Tür, als erwartete sie, daß plötzlich etwas Langersehntes einträte. Dieser Zustand konnte Minuten oder auch Stunden andauern und mündete immer in den Satz: Heute muß ich dahin, kommst du mit. Obwohl ich weder Bahnhöfe noch leere Hotelhallen mochte und mich eher bedroht fühlte durch die Heimatlosigkeit, die sie verbreiteten, begleitete ich Martha hin und wieder. Wir fuhren mit der S-Bahn zum Ostbahnhof, liefen auf dem Bahnsteig, von dem die internationalen Züge fuhren, auf und ab oder setzten uns auf eine Bank, während um uns Aufbruch, Abschied, Ankunft die Gemüter der Betroffenen bewegte und die grauschwarze Kulisse des Bahnhofs – trist und zu klein, um als weltstädtischer Bahnhof zu bestehen – mit exzessiver Leidenschaft belebte, wie sie sonst nur im Kino zu sehen war. Umarmungen, Tränen, Schwüre, bis hin zu dem Moment, für den es Martha hierherzog, wenn der Zug sich mit einem leichten Ruck in Bewegung setzte und die Entfernung zwischen denen, die fuhren, und denen, die blieben, mit jedem Augenblick unerbittlich vergrößerte. Die Arme streckten sich aus den Fenstern der Züge hin zu den Zurückgebliebenen, die noch ein paar unsinnige Schritte taten, dem Zug hinterher, als wollten sie ihm wirklich folgen, ihn festhalten, obwohl sie alle, die Flüchtigen und die Bleibenden, sich längst mit der Unvermeidbarkeit der Trennung abgefunden und das Ende des qualvollen Abschiednehmens erhofft hatten. Dieser Anblick versetzte Martha in einen Zustand hingegebener Erregung, der sie jenem wilden, schönen, weißgefiederten Kind des Rousseauschen Kriegsbildes gleichen ließ, wie es in unschuldiger Bosheit über seine verstümmelten, von Krähen schon zerhackten Opfer galoppiert. Die hoffnungslose Geste der Vergeblichkeit, wenn die Scheidenden ins Leere griffen, um einander festzuhalten, das Gehen und Bleiben, sich finden, um sich wieder zu verlieren, das Schauspiel unbeherrschten Glücks und Unglücks, sagte Martha, erfülle sie mit einem Rausch, in dem sie zugleich Jubel und Trauer empfinden könne und für Sekunden zu wissen glaube, was es mit dem Leben der Menschen auf sich habe.

Marthas unverhohlener Voyeurismus erschien mir ungehörig, geradezu lästerhaft, wenn ich auch nicht hätte sagen können, was gelästert wurde. Trotzdem kam es

vor, daß auch ich mitgezogen wurde in den Taumel fremder Leidenschaften, die sich unentwirrbar mischten mit meinen eigenen, verborgenen, und mich in äußerste Verstörung stürzten, die in Tränenausbrüchen enden konnte.
Martha sagte, schuld an meinen Zusammenbrüchen seien die schlechten Theater. Ihr selbst hätte, zu ihrem Glück, der Professor rechtzeitig erklärt, wie sie auch ohne Theater jenen aristotelischen Zustand der Katharsis erreichen könne, ohne den der Mensch die Vielzahl und Tiefe seiner Gefühle nun einmal nicht kennenlernen könne. Früher, hätte der Professor erzählt, wären die Menschen ins Theater gegangen, um sich für ein paar Stunden einem Unglück auszusetzen, von dem sie in ihrem wirklichen Leben um Gottes Willen verschont bleiben wollten. Und während sie um ein großes würdiges Unglück weinten, beweinten sie ihr kleines gleich mit, das auf die Art gewissermaßen geadelt wurde. Seit das Theater der Illusion abgeschworen habe und der Imagination die Folgerichtigkeit und dem Rausch die Einsicht voranstelle, statt durch Imagination unbekannte Zusammenhänge ahnen zu lassen, durch den Rausch den dressierten Verstand zu überlisten und ihm geheime und verbotene Wege zu weisen, sei es zu einer ganz unsinnigen Einrichtung geworden, die ihn, den Professor, vorwiegend langweile. Denn was, außer Illusion, sollte das Theater sein, da es ja keine Wirklichkeit ist, hätte der Professor gesagt. Einem Theater, das stärker auf den Verstand als auf das Gemüt wirken wolle, sei die Wirklichkeit in jedem Fall vorzuziehen, da sie ab-

sichtslos wirke; sie sei die Wirkung schlechthin, wie ihr Name schon sage.
Es gibt ereignislose Zeiten im Leben, sagte Martha, in denen die Gefühle verkümmern oder sogar absterben, wenn sie sich nicht, nur vorübergehend natürlich, auf eine parasitäre Existenz zurückziehen. Sogar der Professor hat sich noch als Vierzigjähriger in Schulen geschlichen und Deutschstunden belauscht. Erst als Pirat erlebte er die richtigen Erlebnisse und konnte darauf verzichten.
Ich hätte gern ein Erdbeben, sagte ich.
Weil du weißt, daß keins kommt, sagte Martha, du mußt dir etwas Alltägliches suchen. Züge fahren jeden Tag. Vielleicht brauchst du Beerdigungen oder Gottesdienste. Es gibt die sonderbarsten Veranlagungen.
Obwohl ich Martha versprach, ein geeignetes Gefühlstraining für mich zu erfinden, hielt ich mein tägliches Leben für ereignisreich genug, um mich vor seelischer Stumpfheit zu bewahren. Die unbeherrschten und verwirrenden Zusammenbrüche, wie ich sie ein- oder zweimal während der nächtlichen Bahnhofsbesuche erlebt hatte, waren mir als Ausdruck meiner, wie ich befürchtete, hysterischen Neigung peinlich, und ich suchte Situationen, die sie befördern konnten, in der folgenden Zeit eher zu meiden als zu beschwören. Aber ich konnte seitdem nie wieder einen Bahnhof betreten, ohne an Martha zu denken, ein Reflex, der sich, nachdem Martha verschwunden war, noch verstärkte, da ich überzeugt war, Martha müsse von einem Bahnhof aufgebrochen sein. Eines Nachts, als sie, wie hundertmal

zuvor, dem Schauspiel des Scheidens und Zurückbleibens zusah, hat sie sich von dem Strom forttragen lassen, heimlich, unsichtbar, ohne Ziel.
Die ungleichen, schlurfenden Schritte des Alten verloren sich in der Stille. Da geht und geht er wieder, dachte Rosalind, während sie ihre von der Pisse des Alten immer noch brennende Hand mit feuchtem Laub reinigte. Dann folgte sie den Schritten bis zur Becherstraße, wo der Alte nach links abbog und Rosalind nach rechts Richtung Berliner Straße, die ins Stadtinnere führte und zum Ostbahnhof.
Weg von hier, dachte Rosalind, weg von dem Alten und dem widerlichen Gestank, der sie immer noch verfolgte. Ich muß zum Bahnhof; so klar und einleuchtend beherrschte dieses Ziel ihren Kopf, daß sie nicht verstand, warum es ihr nicht früher eingefallen war. Sie mußte auf den Bahnsteig für die internationalen Züge gehen und sich nicht, wie damals, dem Spiel verschließen aus Angst vor der Verwirrung, die es auslösen könnte, sondern sie mußte sich ihm hingeben wie Martha, ihm folgen und sich verführen lassen, wohin es wollte, sich dem gleichen Sog überlassen, der Martha fortgetragen hatte. Sie lief schnell, gejagt von dem Geräusch ihrer eigenen Schritte, immer geradeaus, vorbei am Polizeirevier, am Kino. An der U-Bahn-Station Vinetastraße warf sie, wie immer, einen Blick nach rechts in die Tiroler Straße, wo Ida zuletzt gewohnt hatte. Eine kleine Wohnung mit einem Zimmer, Küche und Bad, in den fünfziger Jahren gebaut für alleinstehende Bürgerinnen und Bürger wie Ida. In Idas Haus wohnten

nur Frauen, die jüngste sechsundsechzig, die älteste einundachtzig. Zu Idas Begräbnis spendeten sie einen Kranz, auf dessen weißer Schleife in goldener Schrift stand: Unserer lieben Ida zum letzten Geleit. Die Hausgemeinschaft. Als sie den Kranz auf die Erde legten, unter der Ida begraben war, bewahrte die Wohnung noch Idas Geruch, in dem sich ihr Parfüm, die von ihr benutzten Gewürze, Spülmittel, Seifen mit dem Geruch ihres Körpers mischten; noch enthielt sie alle Gesten, mit denen Ida die Dinge auf ihren Platz gestellt hatte, ihre Vorstellung von Ordnung und Schönheit, ihre Erinnerungen in Form Dutzender kleiner Gegenstände, die nun, ohne die Sinngebung durch den Erinnernden, auf den Borden der polierten Schrankwand lächerlich herumstanden. Auf Rosalind kam es, die Wohnung Ida gleichzumachen, sie zu zerstören, aufzulösen, wie Ida sich auflöste in ihrem Sarg. Sie hatte Idas zweiten Tod zu vollziehen; sie, der bürokratische Sachwalter des lebendigen Todes, mußte Ida wegräumen aus der erfahrbaren Welt.

Auf der Couch lag über dem rotbezogenen Kissen ein kleineres Kopfkissen in einem weißen, rüschenverzierten Bezug, am Fußende, ordentlich gefaltet, die Wolldecke, auf dem Tisch daneben die Brille und das Buch, das Ida als letztes gelesen hatte, alles so, wie Ida es gebraucht hatte, ehe sie zum letzten Mal ins Krankenhaus gebracht worden war. Ohne den Mantel auszuziehen, setzte Rosalind sich in einen Sessel. Die Couch, auf der sie für gewöhnlich gesessen hatte, wenn sie Ida besuchte, wagte sie nicht zu benutzen. Sie rauchte eine

Zigarette, der Aschenbecher aus blauem Glas stand sauber auf dem Tisch. Die Standuhr im Regal zeigte die richtige Zeit an, eine Quarzuhr, die nicht aufgezogen werden mußte. In dieser letzten von Ida verbliebenen Wirklichkeit, die Rosalind wie ein Trugbild umgab, wie etwas, das es nicht geben durfte, eine verwunschene Kammer in einem Schloß, ein Spuk, in dem Idas Seele zu dieser Stunde noch einmal wandelte, empfand sie sich selbst als Teil einer sachlichen, sich ewig wiederholenden Grausamkeit, deren Täter sie heute war, an einem späteren Tag unabwendbar ihr Opfer. Deutlich erinnere ich mich des erregenden Zwiespalts, der mich, je länger ich in dem Zimmer saß, um so heftiger bewegte. Während mich eine, fast heilig zu nennende, Ehrfurcht noch hinderte, Idas Spur endgültig zu verwischen, erwachte in mir langsam etwas Fremdes, Wütiges, das mir kalt in den Hals stieg, den Kiefer verklemmte und den Herzschlag antrieb. Meine Hände wurden eiskalt und verfärbten sich bläulich. Obwohl es in dem Raum warm war, überkam mich ein leichter, mit Schweißausbrüchen verbundener Schüttelfrost. Dann sprang ich auf, stürzte mich auf Idas Krankenlager, riß Kissen und Decken auf die Erde, zog die Schubläden aus dem Schrank, zerrte Bettwäsche, Handtücher, Strümpfe heraus und warf sie wild durch das Zimmer, schob Vasen und Figuren in den Regalen der Schrankwand zusammen, riß die Tischdecke mit Aschenbecher, Buch, Brille und allem übrigen, was auf ihr stand, vom Tisch. Einreißen, dachte ich, einreißen, Idas Ordnung einreißen, Idas Geist vertreiben, Ida war tot, nur die Dinge lebten noch. Atemlos tobte ich durch das kleine Zimmer, bis ich Idas Handgriffe alle zurückgenommen hatte und Idas Ordnung durch ein namenloses Chaos getilgt war. Ich setzte mich mit einer Flasche Wein, die ich unter Idas Vorräten gefunden hatte, zwischen die, nunmehr ihrer Bedeutung beraubten, Gegenstände, und allmählich kam Ruhe, ja, Zufriedenheit über mich. Nie zuvor hatte ich eine innigere Übereinstimmung mit einem Raum empfunden, nie hatte eine vorgefundene Ordnung meinem inneren Zustand deutlicher entsprochen als dieses von mir selbst errichtete Chaos. Nichts, schien mir, barg soviel Hoffnung wie der trostlose Anblick der Zerstörung, und meine Trauer um Ida verdrängte ein giftiger Übermut, die Lust, vorher zu zerschlagen, was von mir übrigbleiben würde, statt wie Ida zu warten, bis mich die Dinge überlebten. Die Dinge zerschlagen und weiterleben, dachte ich, irgendwie, anders, auf eine Art, die sich finden würde. Bis zum Abend hockte ich in den Trümmern der Wohnung, die einmal Ida gehört hatte und die nun, für einige Wochen, Niemandsland war, in dem weder eine fremde noch die eigene Ordnung galt. Ich fühlte mich frei und verloren wie ein Schiffbrüchiger auf einem Rettungsfloß, und als ich endlich zu weinen begann, glaubte ich, ich weinte um Ida.

Am nächsten Morgen war sie, wie an jedem Wochentag, um sechs Uhr aufgestanden, hatte um sieben Uhr fünf ihre Wohnung verlassen und war mit der Straßenbahn zum Schiffbauerdamm gefahren. Sie hatte aus der

Bahn einen Blick in die Tiroler Straße geworfen, auf die Fenster von Idas Wohnung in der zweiten Etage, und hatte an den vergangenen Nachmittag denken müssen wie an eine Szene aus einem Film oder einem Roman, die sie gesehen oder gelesen, nicht aber wirklich erlebt hatte. Und jemand, wahrscheinlich Frau Petri, hatte sie gefragt, wobei sie sich das Bein verletzt hätte. Grundlos und ohne es zu bemerken, hatte sie zum ersten Mal gehinkt.

Außer den Insassen einiger Autos, die sie im Vorüberfahren nur hatte ahnen können, war Rosalind, seit sie den Alten verlassen hatte, keinem Menschen begegnet. Die Bäume streckten ihre halbentlaubten Äste von sich wie Menschenarme, und wenn Rosalind einen Augenblick stehen blieb und ihren Blick starr auf einen der Bäume richtete, glaubte sie, deutlich zu erkennen, wie er langsam nach ihr griff. Entweder waren wir Bäume, ehe wir geboren wurden, oder wir werden welche nach unserem Tod, hatte Martha gesagt. Und Clairchen hatte behauptet, sicher zu wissen, daß sie mit Kastanienbäumen verwandt sei, sie könne sich sogar mit ihnen unterhalten, wenn niemand zuhöre. Rosalinds Beziehung zu Bäumen war nicht weniger innig, aber vorrangig von Furcht geprägt. Ein Buchenwald, der sich in einer Windböe plötzlich zu bewegen und zu rauschen begann, konnte in ihr die Vorstellung auslösen, sie sei von einer Armee feindlicher Riesen umringt, die sie langsam und unerbittlich zermalmen wolle. Von panischer Angst getrieben, rannte sie dann aus dem

Wald und beruhigte sich erst, wenn sie sich in sicherem Abstand befand. Mann, Rosi, du benimmst dich wien Urmensch, hatte Clairchen einmal gesagt, als sie am Liebnitzsee gemeinsam Pilze suchten, wennde die Natur nich uffressen kannst, haste vor ihr Angst.
Rosalind überquerte die Wisbyerstraße, die Grenze zwischen den Stadtbezirken Pankow und Prenzlauer Berg. Im Schein eines Schaufensters sah sie in etwa hundert Metern Entfernung eine Gestalt auf sich zutaumeln. Ein Betrunkener, dachte sie und mied, um besser ausweichen zu können, die Häuserwände. Die Gestalt preßte die Hände an den Kopf, und als sie aneinander vorübergingen, sah Rosalind, daß Blut durch die Finger des Mannes sickerte. Sie lief schnell weiter.
Manchmal schien es ihr, als läuteten irgendwo, von ferne, Glocken. Blieb sie stehen, um sich zu vergewissern, hörte sie nichts als den Wind, das Klappen einer Tür, eine S-Bahn, die durch ihre Schlucht von der Schönhauser Allee zur Bornholmer Straße rasselte; sobald sie aber weiterging, vereinigten sich die Geräusche wieder zu einem schweren, rauschenden Läuten.
Auf der anderen Straßenseite liefen zwei Männer, von denen der eine sich schwer auf den Arm des anderen stützte. Sie haben sich geschlagen, dachte Rosalind, der mit dem Blut zwischen den Fingern und dieser haben sich geschlagen. Ein erbärmliches winselndes Geräusch drang bis zu ihr, und sie wunderte sich, wie es den weiten Weg über die Straße von dem Verletzten

bis zu ihr hatte nehmen können, da stöhnte es ein zweites Mal, ganz dicht neben ihr, unter ihr. Sie sah auf die Erde. Im Hauseingang neben dem Gemüsegeschäft lag ein verkrümmter Körper. Rosalind hockte sich neben ihn. Der Körper gehörte einer Frau. Kann ich Ihnen helfen, sagte Rosalind. Die Frau antwortete nicht. Ihr blondes Haar war verklebt von Schweiß oder von Blut. Soll ich Ihnen helfen, sagte Rosalind. Die Frau stöhnte in ihrer Bewußtlosigkeit. Rosalind sah, daß sie sehr jung war, ein Mädchen, fast noch ein Kind. Ihr magerer Brustkorb zuckte unter der schweißfeuchten Bluse. Rosalind lief zum Bahnhof, fand eine funktionierende Telefonzelle. Hier liegt ein Mädchen, schrie sie, ich glaube, sie stirbt. Schönhauser Allee 98, schnell, kommen Sie schnell.
Wo, fragte der Mann vom Rettungsdienst.
Schönhauser Allee 98.
Wer.
Ich habe sie nur gefunden. Sie stirbt.
Wer.
Ich sage doch, ich kenne sie nicht.
Wo. Wer. Was, sagte der Mann. Also mal ordentlich, wer sind Sie.
Rosalind Polkowski.
Sind Sie eine Verwandte der Unfallperson.
Ich sage doch, ich habe sie nur gefunden.
Und sie stirbt?
Ich glaube.
Also nicht. Wir haben Großeinsatz. Alle Wagen sind unterwegs.

Aber verstehen Sie denn nicht ...
Bleiben Sie da, sonst machen Sie sich strafbar.
Er legte auf.
Als Rosalind die Telefonzelle verließ, stieß sie fast mit zwei Männern zusammen, die hintereinander liefen und zwischen sich eine graugesichtige Frau trugen. Obwohl die Männer die Köpfe gesenkt hielten, sah Rosalind, daß ihre Gesichter blutverschmiert waren. Sie liefen wie in Trance und bemerkten sie nicht. Rosalind lehnte sich an die Telefonzelle, schloß die Augen, öffnete sie wieder, erkannte die schwankenden Rücken der Männer, den seitwärts hängenden Kopf der Frau; sooft sie die Augen schloß und wieder öffnete, bot sich ihr dieses, nur langsam sich verkleinernde Bild. Sie sah in die Richtung, aus der die drei gekommen waren, und was sie sah, erfüllte sie mit Grauen. Blutende, Halbtote taumelten schweigend, allein oder in kleinen Gruppen, manche noch ein fassungsloses Entsetzen in den Augen, ihr entgegen. Auf den Bürgersteigen lagen die Toten oder Bewußtlosen, einige hatten sich in die Hauseingänge flüchten können; überall Blut, Stöhnen, keine Worte. Neue Gestalten lösten sich aus dem Dunkel, nun auch Unverletzte, Flüchtende, die ohne Erbarmen über die leblosen Leiber auf der Straße stiegen, stürzten, weiterliefen. Rosalind lehnte noch immer, starr vor Angst, an der Telefonzelle, und in ihrer Erinnerung erwachte der widerliche kalte Gestank, der sich ihr seit jenem Sonntag im Februar, als ihre Mutter und sie in den Trümmern des Neanderviertels nach Ida gesucht hatten, für alle Zeit eingeprägt hatte. Krieg,

dachte Rosalind, hier ist Krieg, kein Feuer, kein Qualm, aber dieser kriegerische Gestank, der den Blutlachen und dem Angstschweiß zu entsteigen schien. Wohin war sie geraten. Ein Gaukelspiel ihrer Sinne, eine Täuschung, aber liefen sie nicht wirklich, immer mehr, immer andere. Rosalind spürte, wie ihr Körper sich der Angst entwinden wollte, dem Bewußtsein entfloh in die Fühllosigkeit. Bleib hier, fürchte dich nicht, das ist nur das Gefolge von Danko, dem Helden. Sie ziehen über die finstere Erde und suchen die Sonne, um sie zu befreien. Aber wo ist Danko, der Held, der sich das Herz aus der Brust riß, um ihnen damit zu leuchten. Er hat das Herz wieder in die eigene Brust gesteckt und hat sich davongemacht. Danko, der Verräter. Jetzt suchen sie einen anderen, der sich das Herz für sie ausreißt. Rosa, Rosalind, Rosalind Polkowski, dein Herz, sie wollen dein Herz. Jemand griff in ihre Brust, umfaßte das Herz mit derber Hand, um es ihr aus dem Leib zu zerren. Es ist zu klein, es würde nichts nutzen, sagte er und ließ es wieder los. Als Rosalind zu sich kam, lag sie, atemlos vor Schmerzen, neben der Telefonzelle. Aufstehen und Gehen. Nur unwillig folgte der Körper den Befehlen des Kopfes. Rosalind schleppte sich mühsam in eine Seitenstraße, fand eine offene Toreinfahrt, durch die sie in einen kleinen, zur Hälfte mit Gras bewachsenen Hinterhof floh. Sie legte sich auf den mageren Rasen, dankbar, dem unheilvollen Schauspiel, dessen Sinn sich ihr nicht eröffnen wollte, entronnen zu sein. Sie schloß die Augen, zwang sich, ruhig zu atmen, blieb aber ängstlich darauf bedacht, nicht einzuschlafen. Sie könnte zurück, dachte sie, jederzeit könnte sie ihren Weg hierher ungeschehen machen, die eigenen Gedanken zurücknehmen und sich in ihrem Sessel wiederfinden, umgeben von vier schützenden Wänden und gerechtfertigt durch ihre zum Gehen untauglichen Beine. Nur würde sie dann nicht zum Bahnhof kommen, wo, wie sie glaubte, Marthas Spur allein zu finden war. Und warum sollte sie auch umkehren. Hatte sie sich denn wirklich in Gefahr befunden. Nicht sie war verwundet worden, sie war nur Zeuge der Verwundung anderer geworden. Nicht einmal das. Aus Furcht vor den Opfern war sie fortgelaufen, ehe sie zum Zeugen hätte werden können. Statt weiterzugehen bis zum Ort des Massakers, war sie vor Angst in Ohnmacht gefallen und hatte sich hinter Häuserwänden verkrochen. Und erst hier, im sicheren Versteck, während das feuchte Gras ihr die Stirn kühlte, erwachte ihre Neugier. Sie bedauerte, nicht ergründet zu haben, vor wem die schwankenden Gestalten geflohen waren und warum man sie zusammengeschlagen hatte. Und allmählich wurde das Entsetzen, das der blutige Anblick in ihr ausgelöst hatte, durch eine nervöse, übermütige Aufregung verdrängt, deren Ursprung, ohne daß Rosalind sich dessen bewußt gewesen wäre, agonaler Natur war. Sie hatte eine Gefahr erlebt und überlebt, wodurch ihre müden Sinne in einen Zustand wacher Kampfbereitschaft geraten waren. Die Vorstellung, daß ganz in ihrer Nähe ein Kampf stattfand, der Sieger und Besiegte zurücklassen würde, ein Kampf, der noch nicht entschieden war, in dem vielleicht nur ein Mensch gebraucht wurde, um ihn zu entscheiden, beunruhigte sie und erfüllte sie mit lustvollen Gedanken an eigene Taten. Sie berauschte sich an der Gefahr, der sie eben erst entflohen war und die ihr nun – ein fürchterliches zwölffüßiges schwarzes Tier – als Herausforderung nachgeschlichen war. Es zog sie zurück in die Schönhauser Allee zu den Fliehenden und Sterbenden. Sie wollte ihnen entgegengehen bis dahin, wo das Gemetzel stattfand.

Als sie die Augen öffnete und aufstand, bemerkte sie, daß inzwischen zwei Fenster im Erdgeschoß des Seitenflügels beleuchtet waren. In einem karg möblierten Zimmer saß eine Frau mit dem Rücken zum Fenster. Vor ihr stand ein Mann mit einem bleichen Gesicht und traurigen Augen. Er trug Jeans und ein weißes Hemd, dessen Ärmel er bis unter die Ellenbogen umgeschlagen hatte. Er beugte sich über die Frau, wobei er sich mit seinen zarten Fingern auf die Rückenlehne des Stuhls stützte, auf dem die Frau saß. Von der Frau sah Rosalind nur das schwarze Haar und die schmalen, sehr geraden Schultern. Obwohl ich an der Szene zunächst nichts Ungewöhnliches bemerke, vermittelt sie doch eine Spannung zwischen den beiden Personen, die mich drängt, zu verweilen und den Fortgang des Geschehens zu beobachten. Insbesondere der schmale, gestraffte Rücken der Frau weckt meine Neugier. Wie ein vorüberwehender Geruch, der uns anheimelnd oder abstoßend an vergangene Zeiten erinnert und dessen Ursprung uns doch rätselhaft bleibt, löst dieser Rücken vertraute, zugleich verwir-

rende Empfindungen in mir aus. Vorsichtig nähere ich mich den Fenstern und entdecke, daß das linke einen Spalt geöffnet ist, so daß ich nun durch das eine Fenster den beiden zusehen, durch das andere ihnen zuhören kann.
Bitte, setzen Sie Teewasser auf, höre ich den Mann sagen. Mir fällt auf, daß er eine sanfte, fast warmherzige Stimme hat.
Warum, fragt die Frau.
Was warum.
Warum soll ich Teewasser aufsetzen.
Teetrinken gehört zu den Bestimmungen, sagt der Mann. Dann höre ich die Frau mit kleinen festen Schritten durch das Zimmer gehen und wage nicht zu glauben, was meine sich erinnernden Sinne mir als Gewißheit signalisieren: das Haar, der Rücken, die Stimme und nun diese Schritte gehören Martha. Aber Martha ist weg, verschwunden, seit zehn Jahren. Bin in Spanien und suche meinen Vater. Martha. Ich gehe auf Zehenspitzen vom linken Fenster zum rechten, damit ich das Gesicht der Frau erkenne, wenn sie aus der Küche, wo sie vermutlich gerade den Tee bereitet, zurückkommt. Der Mann blättert nachlässig in einem Stapel Papier, der auf dem Tisch liegt, zieht ab und zu einen Bogen heraus und wirft ihn, nachdem er ihn flüchtig gelesen hat, zurück zu den übrigen. Wenn es Martha wäre, wenn es doch Martha wäre, flüstere ich. Ich will mich zwingen, den Satz bis an sein Ende zu denken, aber meine Hoffnung, gegründet auf den Wunsch, die Frau hinter dem Fenster möge Martha

sein, paßt in keinen Satz. Sie ist wie Luft. Sobald ich sie fange und in einen Satz sperre wie Luft in einen Ballon, nimmt sie die Form des Satzes an, hinter der sie den Hauch ihres eigenen Lebens verliert und ich selbst sie nicht mehr erkenne. Jetzt tritt die Frau durch die Tür, in den Händen ein Tablett mit der Teekanne und zwei Tassen, und als sie unter dem Schein der Lampe hindurchgeht, erkenne ich sie genau: die schweren Lider über den dunklen Augen, die gelblichblasse Hautfarbe, die kindlichen Finger. Martha Mantel. Der Mann blickt auf und sagt etwas. Dann, für zwei oder drei Worte nur, bewegen sich Marthas Lippen. Ich kann nicht verstehen, worüber sie sprechen, empfinde aber deutlich eine Gefahr, die nur Martha gelten kann, meinen Organismus aber zu allen Reaktionen veranlaßt, derer er zu seinem Schutz fähig ist. Ohne daß ich es will, spannen sich meine Muskeln, erhöht sich die Blutzufuhr in Gehirn und Organe, stellen sich, als rudimentäre Pose, die dünnen Härchen an den Unterarmen auf. Martha setzt sich wieder auf den Stuhl, mit dem Rücken zu mir, was in mir die Vorstellung auslöst, ich stünde mir selbst im Rücken, und mich veranlaßt, ans linke, geöffnete Fenster zu wechseln.
Und warum soll ich . . ., sagt Martha.
Ich weiß, daß die letzten, von Martha verschwiegenen Worte getötet werden heißen müssen. Obwohl ich den vorausgegangenen Wortwechsel zwischen den beiden nicht kenne, bin ich sicher, daß es getötet werden heißen muß. Martha hat diese Worte nur nicht ausspre-

chen wollen, weil es ihr die Vorwegnahme der Exekution zu sein schien. Und schon bestätigt der Mann meine Befürchtung.

Warum ich Sie töten soll, sagt er, haben Sie denn den schriftlichen Bescheid nicht erhalten. Er war jetzt sehr ernst. Welchen schriftlichen Bescheid, denke ich, und Martha sagt, nein, nichts, nicht mündlich, nicht schriftlich.

Entschuldigen Sie mich bitte einen Augenblick, sagt der Mann, ich muß telefonieren.

Mein Gott, vielleicht ist alles ein Irrtum, denke ich und höre im gleichen Augenblick, wie Martha es ausspricht. Vielleicht ist alles ein Irrtum, sagt Martha.

Vielleicht, sagt der Mann und buchstabiert Marthas Namen durchs Telefon. Martha, Anton, Richard, Theodor, Herta, Anton. So viele Namen für einen. Geht in Ordnung, sagt er, aber beeilt euch, ich habe um vierzehn Uhr den nächsten Termin.

Ein Stuhl wird gerückt, Geschirr klappert. Jetzt gießt Martha den Tee ein.

Der Fehler liegt bei der Post, sagt der Mann, der Brief wurde bei uns vor einer Woche im Postausgangsbuch vermerkt. Eine Abschrift wird Ihnen sofort durch den Boten zugestellt. Das führt zu keinerlei Verzögerungen, weil für diese Zeit ohnehin die Teestunde vorgeschrieben ist.

Wozu die Teestunde, fragt Martha.

In dieser Zeit werde ich Sie von Ihrem Vergehen überzeugen, sagt er und sieht Martha dabei traurig an, was ich, wenngleich ich die beiden nicht sehen kann, so sicher weiß, wie ich wußte, daß es getötet werden heißen mußte, denn ich spüre den schönen Blick des Mannes auf mir, ein vor Spiegeln geübter Blick, der seine Wirkung kennt. Ich gehe schnell zum rechten Fenster und sehe, hinter Marthas Rücken, wie der Mann seinen Blick in Marthas Augen senkt, durch sie hindurch bis in meine Augen. Martha versteht, daß ihr etwas Bedrohliches geschieht, und die Ruhe, die sie bis eben noch ausfüllte, gerinnt zu einem schweren Klumpen und legt sich auf ihr Herz. Ehe der Mann weiterspricht, bin ich wieder am linken Fenster.

Ich bin ein führendes Mitglied der Assoziation dichtender Männer, sagt er.

Dann ist Marthas Lage aussichtslos. Käme er von einer geheimen Abteilung der Regierung oder dergleichen, könnte sie versuchen, ihre Unschuld zu beweisen, das Mißverständnis aufzuklären oder auf andere Weise wenigstens einen Aufschub zu erbitten. Aber diese sind unerbittlich, er wird Martha töten, das steht fest.

Bitte, verstehen Sie mich richtig, sagt er zu Martha, wir sind Gegner jeder Gewaltanwendung, aber es gibt Prioritäten. Das höchste Gut des Menschen ist die Sprache.

Das Leben, sagt Martha.

Die Sprache, sagt er, bitte unterbrechen Sie mich nicht, ich kenne Ihre diesbezüglichen Anschauungen, darum bin ich hier. Also: die Sprache. Es wird ihr traditionell zuviel Gewalt angetan, als daß wir tatenlos zusehen könnten, wenn sich eine neue Form ihrer Vergewalti-

gung von einer Einzelerscheinung zur Volksseuche auswächst. Ihre Schreibversuche, ich bleibe höflich, gehören zu den schamlosesten und anmaßendsten Verletzungen, nicht nur gesicherter literarischer Werte, sondern des guten Geschmacks. In Ihrem mageren Opus lassen Sie keines von allen möglichen Vergehen aus. Wir haben Romantizismen, Lyrismen, Pathos, Selbstmitleid, Infantilismus und modisches Feministengeplapper nachweisen können. Worte wie Hoffnung, Sehnsucht, Schmerz, Leid einschließlich der dazugehörigen Adjektive sind durchaus überrepräsentiert. Die Sprache ist keine bunte Wiese, Madame, auf der man verliebt spazierengeht. Sie ist eine steile, hochragende Felswand, und die kleinsten Risse muß der Dichter nutzen, um an ihr emporzusteigen.
Vielleicht stimmt alles, was Sie sagen, sagt Martha, aber ist die Strafe nicht etwas zu hoch, ich meine, muß ich darum gleich sterben.
Wir haben lange darüber beraten, sagt der Mann. Ursprünglich, Sie werden sich erinnern, haben wir den Damen nur ein Schreibverbot ausgesprochen, aber zu viele haben sich nicht daran gehalten. Einige haben uns jahrzehntelang getäuscht; sie haben sich durch Ehen, bürgerliche Berufe, sogar durch ein Dutzend Kinder getarnt, um eines Tages, wenn sie glaubten, unsere Aufmerksamkeit hätte nachgelassen oder sie seien durch ihr Alter geschützt, da wieder anzufangen, wo sie in ihrer Jugend aufgehört hatten, auch durch die Jahre nicht geläutert. Durch ihre absonderlichen Biografien haben sie nur zusätzlichen

Eindruck geschunden und sind auf diese Weise für einige Leute sogar zu Idolen geworden. Die erhoffte Wirkung, eine zuverlässige literarische Abstinenz, haben wir nur dann erzielen können, wenn die betroffene Person selbst die Konsequenz aus unserer Beweisführung ziehen konnte und den Freitod gewählt hat. Das hat uns ermutigt, den übrigen die Entscheidung abzunehmen.

Die Reden des Mannes versetzen mich in eine unerklärliche Erregung. Obwohl ich nie in meinem Leben – wenn ich von einigen unbeholfenen Versuchen während der Pubertät absehe – das Bedürfnis verspürt habe, mich literarisch zu äußern, und obwohl mir Marthas Gedichte wegen ihrer, wie mir damals schien, verstiegenen Naivität, oft fremd und unzugänglich blieben, fühle ich mich jetzt angeklagt, als hätte ich und nicht Martha die Gedichte geschrieben. Plötzlich weiß ich, aus welchen Quellen sie einmal zusammengeflossen sind und warum ich ein Recht hatte, sie so und nicht anders zu schreiben, aber etwas, und ich ahne, daß es der schöne, ernste Blick des Mannes ist, hindert mich, das zu meiner Verteidigung vorzubringen. Auch Martha schweigt. Durch das rechte Fenster sehe ich, wie der Mann aufsteht, um Martha herumgeht, hinter dem Stuhl, auf dem sie steif und angespannt sitzt, stehen bleibt, so daß er mir die Sicht auf Martha versperrt. Er steht zwischen uns, und mir kommt es vor, als stünde er mitten in mir. Jetzt legt er seine Hände auf Marthas Schultern, die sich wie Flügel senken unter seiner Berührung. Er küßt ihren Hals. Martha neigt

den Kopf, und ich hoffe, er küßte mich noch einmal. Es ist immer dasselbe, denke ich, immer dasselbe. Wenn er die Hand von ihr nähme, wenn er aufhörte, ihr Haar zu küssen, könnte sie nachdenken, um sich zu verteidigen oder um zu fliehen. Martha lehnt ihren Kopf in seine geöffnete Hand und sammelt Kraft für einen Satz. Sag ihn nicht, Martha, sag ihn nicht, du weißt, es ist der falsche. Kaum stehe ich wieder am linken Fenster, da sagt sie ihn doch, ich habe mir solche Mühe gegeben, sagt Martha.
Der Mann lacht nachsichtig. Ich weiß, ihr seid alle sehr fleißig, sagt er. Wir vermeiden auch jede Brutalität. Wenn es Ihnen gelingt, sich zu entspannen, kann das sogar die schönste Stunde Ihres Lebens werden.
Ich höre, wie Martha weint, und auch mein Gesicht ist feucht von Tränen. Ach bitte, sagt Martha zaghaft, es gibt doch auch Männer, die scheußliches Zeug schreiben, ohne daß sie sterben müssen. Der Mann führt Martha behutsam durch das Zimmer zu ihrem Bett, das im Blickwinkel des linken Fensters steht, so daß ich die beiden jetzt zugleich sehen und hören kann.
Leg dich hin, sagt der Mann, sei ganz ruhig, ich werde dir alles erklären. Stell dir einen Turm vor, sagt er, stell dir einen Turm vor von kolossalem Umfang und grandioser Höhe, in zwei Jahrtausenden errichtet, Schicht für Schicht. Jede Generation hat ihre Steine in sorgsamer Ordnung, das Werk der Ahnen achtend, hinzugefügt. Goldenes Bauwerk findest du neben Kalkstein, Sandhaufen zwischen Silberklumpen, aber es trägt sich. Das ist die Dichtung, der in Form geron-

nene Geist der Menschheit, verstehst du. Was, glaubst du, würde geschehen, wollte man plötzlich die nächste Schicht bauen zum einen Teil wie bisher, zum anderen Teil aus Wind, Sonnenstrahlen und Wellenschaum. Nichts könnte dem Werk hinzugefügt werden als ein armseliger Haufen Geröll, unbrauchbarer Baugrund für unsere Erben. Er setzt sich zu Martha und nimmt ihre Hand. Hast du mich verstanden, fragt er.

Ja, flüstert Martha, weil sie fürchtet, er könnte, falls sie ihm widerspräche, ärgerlich werden und ihr seine Hand wieder entziehen. Er lächelt. Sehr gut, Martha, dann verstehst du auch, warum Männer, die, wie du sagst, scheußliches Zeug schreiben, das Ganze nicht stören.

Ja, sagt Martha.

Seine Augen werden starr, als hätten sie etwas Erschreckendes gesehen, füllen sich langsam mit Feuchtigkeit, während seine Nase sich rötet. Er ringt nach Luft.

Bist du krank, fragt Martha.

Er reißt seine Hand von ihr, greift in seine Tasche und schafft es gerade, das Taschentuch vor den Mund zu pressen, ehe ein viermaliges Niesen seinen mageren Körper erschüttert. Danach schnaubt er sich genußvoll.

Endlich befreit von seiner Berührung, in der sie geruht hat wie die Rippe im Fleisch, steht Martha langsam auf. Nimm die Vase, denke ich, und Martha schiebt sich geräuschlos ans Fenster, wo die schmale gläserne Vase steht. Ich atme auf. Bleiben Sie, wo Sie sind, sagt Martha und hält dem Mann die Vase wie einen Schlagstock entgegen. Halten Sie Abstand, setzen Sie sich am be-

sten. Unser Kopf, Marthas und meiner, arbeitet jetzt wieder vollkommen normal.
Madame, Sie werden hysterisch, sagt der Mann und setzt sich mit aneinandergeklemmten Knien, an denen ich seine Angst erkenne, auf die Bettkante. Und vergessen Sie nicht, Madame, die Vernunft ist neben der Sprache das höchste Gut des Menschen.
Lassen Sie das Gerede, sagt Martha, die Teestunde fällt aus, die Bedingungen sind geändert. Und nennen Sie mich nicht Madame, das klingt aus Ihrem Mund wie eine Sauerei.
Ich heiße Heinrich, sagt er.
Ich weiß, sagt Martha, ich kenne Ihre Gedichte, sie sind sehr schön.
O bitte, sagen Sie so etwas nicht, sagt Heinrich, man darf in Zeiten wie diesen keine schönen Gedichte schreiben. Ein Gedicht muß sein wie ein Schwert, ein Bulldozer, ein Laserstrahl. Ein Gedicht muß teilen, was geteilt sein muß, zerstören, was zerstört sein muß, durchbohren, was durchbohrt sein muß. Es macht mich unglücklich, wenn Sie sagen, meine Gedichte seien schön. Die Schönheit ist ein Anachronismus. Man muß sie kaputt machen, damit sie unseren Blick nicht trübt für das Häßliche und das Böse.
Martha hält noch immer die Vase in der Hand, unschlüssig, was sie mit ihr und dem zarten Dichter auf ihrem Bett anfangen soll. Sie könnte ihn rauswerfen. Gehen Sie, oder ich zerschlage die Vase auf Ihrem wirren Kopf, und aus wäre der Spuk. Sie könnte ihn auch gleich niederschlagen, es wäre Notwehr, ich könnte

das bezeugen. Da er jetzt aber still und seinen schönen Blick in sich gekehrt, in reichlichem Abstand von Martha sitzt, beginne ich zu hoffen, sie könnten einander leben lassen.
Ohne die Vase aus der Hand zu stellen, sagt Martha: Bitte, erklären Sie mir alles noch einmal.
Sie sind eine erstaunliche Frau, sagt Heinrich.
Fast wäre ich eine erstaunliche Leiche gewesen.
Oh, ich liebe tote Frauen, ich kann nur tote Frauen lieben, sagt Heinrich, und etwas Hündisches, Bittendes gerät in seinen Blick, was mich vermuten läßt, er wünsche über seine Liebe zu den toten Frauen noch mehr zu sagen, eine Gelegenheit, die Martha keineswegs ungenutzt lassen darf, um ihre immer noch bedrohliche Lage zu verbessern. Wenn er ein Interesse findet, mit ihr zu sprechen, wird er den Auftrag, sie zu töten, für diese Zeit vergessen. Andererseits liegt in solchem Gespräch auch eine Gefahr. Es könnte sein, er erzählt ihr in einem Augenblick mitteilsamer Schwäche ein Geheimnis, das er aber, sobald er es ausgesprochen hat, wieder ganz für sich haben will. Dann wird er sich später seines Auftrags um so sicherer erinnern. Trotzdem muß sie es versuchen.
Martha setzt ihre Stimme tief an, so daß sie an einen stillen, mit schwarzem Samt ausgeschlagenen Raum erinnert, eine Gruft, in der Schätze verborgen werden, und sagt: Dann haben Sie wohl etwas Grauenvolles erlebt.
Heinrichs Körper entspannt sich, als hätte man einen quälenden Schmerz von ihm genommen. Schrecklich,

ja, wie man es sieht. Es war gut, weil es so schrecklich war. Sie war rachsüchtig. All ihr Blut hat sie über mich gegossen, auch den letzten Tropfen. Heimlich, in der Nacht, während ich schlief, hat sie sich die Adern aufgeschnitten und dann ihre Arme über mich gelegt. Als ich aufwachte, fand ich mich in dem Blut, überall war es, auf den Augen, im Mund, zwischen den Beinen. Ich dachte, es wäre mein Blut. Ich hielt mich für tot. Wer so viel Blut verloren hat, mußte tot sein. Dann sah ich sie. Bleich und von keinem Tropfen Blut beschmutzt. Ich war ein Ungeheuer neben ihr, ein blutrünstiges Monster. Das hat sie gewollt. Die Schuld sollte an mir kleben wie ihr geronnenes Blut.
Heinrich zündet sich eine Zigarette an, sieht sich suchend nach einem Aschenbecher um; bleiben Sie sitzen, sagt Martha und schiebt ihm mit Hilfe eines Kleiderbügels eine Untertasse vor die Füße. Und weiter, sagt sie.
Ich ging unter die Dusche, sagt Heinrich, danach rief ich den Arzt. Ich war noch einige Zeit mit ihr allein. Sie war so schön wie nie in ihrem Leben. Ein weißer Schatten, ein schwarzer Nebel.
Entsetzlich, sagt Martha mit ihrer schwarzsamtigen Stimme, es muß ein Schock für Sie gewesen sein.
Heinrich zieht an der Zigarette, und als es ganz still ist, sagt er: Am Wahnsinn dieser Stunde bin ich zum Dichter geworden.
Aha, sagt Martha.
Ja, sagt Heinrich. Sie hat auch Gedichte geschrieben, die meisten waren schlecht, nicht so schlecht wie deine,

aber auch schlecht. Ich habe sie später alle neu schreiben müssen. Dafür bist du schöner, Martha, du bist so schön, als wärst du schon tot, Martha.
Heinrich breitet seine Arme aus und verwandelt sie in gewaltige schwarze Flügel, in die er Martha hüllt, ehe sie die Vase zum Schlag erheben kann. Seine Lippen legt er auf Marthas Nacken, und in meinen Hals bohrt sich ein spitzer, scharfer Schmerz. Martha, paß auf, schrei ich. Dann schließt sich die Mauer über den Fenstern, als hätte es sie nie gegeben.
Rosalind tastete nach der Stelle an ihrem Hals, wo sie eben noch den Schmerz empfunden hatte, glitt mit den Fingerspitzen über unversehrte Haut. Nur ein heftiges Zittern, verursacht durch die Kälte der Nacht oder die Aufregung der letzten Stunden, schüttelte ihren Körper. Sie fühlte sich krank, vielleicht hatte sie sogar Fieber; sie träumte, sie phantasierte im Fieber. Oder wie kam sie sonst zwischen diese fremden Häuserwände, die sie immer enger umschlossen und die, sobald sie nach oben sah, höher wuchsen, bis das Stück grauschwarzer Himmel im Geviert der Dächer nur noch so groß war wie eine Streichholzschachtel. Wo war Martha. Martha, wo bin ich. Wenn die Sirenen die Entwarnung durch die Stadt schrien, kam ein Häuflein bleicher Kinder still aus dem Keller in den Hof gekrochen und spielte unter dem Mond Verstecken.
Bleib wo du bist und rühr dich nicht
der Feind ist da doch er sieht dich nicht.
Aus der Schönhauser Allee hörte sie die schrillen Sirenen der Krankenwagen, und langsam erinnerte sie sich

ihres Wegs hierher. Als sie durch den Torweg auf die Straße trat, umfing sie wieder der stinkende Dunst des Krieges. Wieviel Kilometer waren es noch bis zum Bahnhof, sechs oder acht.
Zuviel, sagte sie und fand sich wieder in ihrem Sessel, umgeben von den vier weißen Wänden ihres Zimmers. Ihre lahmen Beine hingen über der Sessellehne wie abgelegte Kleidungsstücke. Vom stundenlangen reglosen Sitzen schmerzten sie Nacken und Rücken; im Nacken sitzt die Angst, dachte sie, sitzt in meinem Nacken und jagt mich durch die Gegend wie einen dressierten Zirkusgaul. Sie durfte nicht aufgeben, sie würde sich nur ausruhen und dann ihren Weg zum Bahnhof fortsetzen. Immerhin hatte sie bisher schon geheimnisvolle Dinge erlebt, über deren Bedeutung sie jetzt ungestört nachdenken konnte. Wie kam Martha in jene Wohnung im Prenzlauer Berg, obwohl sie seit zehn Jahren verschwunden war und, wie Rosalind vermutete, längst in New York lebte. Es gab keinen Anhaltspunkt für diese Vermutung, trotzdem war Rosalind überzeugt, daß Marthas Weg vom Ostbahnhof nach Spanien, danach über Algier und Toronto nach New York geführt hatte. Rätselhaft war auch, warum Martha sich in diesen Jahren nicht verändert hatte, warum die Frau, die Rosalind hinter den Fenstern als Martha Mantel erkannt hat, in Aussehen, Gang und Stimme der Martha glich, die sie zum letzten Mal gesehen hatte, als sie durch das Kreisen ihres Zeigefingers ein Glas in zwei Teile zerspringen ließ. Vielleicht war sie einer Szene begegnet, die sich kurze oder lange Zeit

vor Marthas Verschwinden zugetragen hatte und die seitdem wie Blütenstaub durch die Luft geflogen war, bis sie nun endlich auf Rosalind traf. Der Graf fiel ihr ein, wie er an dem noch nächtlich trüben Morgen nach seinem fünfzigsten Geburtstag, erschöpft von den ihm zu diesem Ereignis erbrachten Ehrenbezeigungen, mit seinen geröteten Augen in die Dämmerung sah und dabei, ein wenig schamhaft ob des dargebotenen Einblicks in seine Seele, sagte: Oh, dieses Geheimnis der Reminiszenzen. Vor einigen Jahren noch, erzählte er, hätte er jeden Urlaub mit einer Gruppe von Freunden verbracht. Gemeinsam sei man durch die angrenzenden Mittelgebirge gewandert, hätte dabei ausreichende Mengen tschechischen Bieres und polnischen Wodkas getrunken, zudem hätte sich ihm die glückliche Gelegenheit geboten, in fremden Sprachen zu sprechen. Mit den Jahren sei dieser Kreis, teils durch Scheidungen oder Liebesaffären, teils durch Herzinfarkte und andere betrübliche Begleiterscheinungen des Alters, immer kleiner geworden, so daß er sich genötigt sah, seinen letzten Urlaub allein zu verbringen. Dabei sei ihm schmerzlich ins Bewußtsein gedrungen, daß er die Wege, die er einmal mit anderen gemeinsam gegangen sei, allein nicht mehr gehen könne. Wie Geister lägen die Erinnerungen zwischen den Steinen der Gebirgspfade, hingen sie zwischen den Bäumen der Wälder und warteten nur auf das Geräusch seiner Schritte, um ihn anzufallen und ihm ihre tristen Lieder von Einsamkeit und Todesnähe in die Ohren zu säuseln. Da er in seinem langen Leben fast alle möglichen Wege schon gegangen sei, blieben ihm nur wenige, sehr wenige, fast keine übrig für die noch vor ihm liegenden Jahre. Oh, dieses Geheimnis der Reminiszenzen, sagte der Graf noch einmal und seufzte leise. Rosalinds Überlegungen, wie dieser Ausspruch des Grafen für ihr eigenes Erleben zu verstehen sei, wurden durch ein zaghaftes Klopfen an die Tür unterbrochen. Gleich darauf öffnete sich die Tür einen Spalt, durch den lautlos der Mann mit der traurigen Kindheit glitt. Entschuldigen Sie bitte, flüsterte er, während er die Tür vorsichtig wieder einklinkte, ich wollte Sie auf keinen Fall stören, aber es ist außerordentlich dringlich. Ich habe Sie schon früher warnen wollen, aber Sie waren von Ihrem Ausflug noch nicht zurückgekehrt.

Durch eine Kopfbewegung gab Rosalind ihm zu verstehen, er möge sich setzen, was er nur zögernd befolgte.

Bitte, sagte der Mann mit der traurigen Kindheit, treffen Sie Vorkehrungen. Man hat Sie beobachtet und anschließend über Ihr Verhalten beraten, womit die übrigen Herrschaften auch zur Zeit noch befaßt sind. Aber in Kürze wollen sie hier erscheinen und Rechenschaft von Ihnen fordern.

Sieht ihnen ähnlich, sagte Rosalind, aber kein Grund, sich aufzuregen.

Sie sollten die Herrschaften aber nicht unterschätzen.

Mein Gott, hören Sie endlich auf zu flüstern, sagte Rosalind, ich habe den Leuten das Recht auf Redefreiheit zugestanden, sonst nichts, und das auch nur für die Dauer meiner Geduld.

Das müssen sie vergessen haben, sagte der Mann mit der traurigen Kindheit, wobei er die ersten beiden Worte halblaut sprach, den Rest des Satzes aber wieder erschrocken flüsterte.
Sind Sie immer so ängstlich, fragte Rosalind.
Der Mann nickte. Jaja, sagte er leise, immer. Dabei lebe ich unter einem permanenten Entscheidungszwang, welcher von verschiedenen Ängsten ich den Vorrang geben soll. Nehmen Sie meine augenblickliche Situation: einerseits fürchte ich die Maßnahmen, die man gegen Sie ergreifen könnte, falls man Sie unvorbereitet anträfe. Andererseits fürchte ich die Maßnahmen, die der Mann in der roten Uniform gegen mich ergreifen könnte, sollten Sie in der Auseinandersetzung unterliegen und sollte es ruchbar werden, daß ich Sie gewarnt habe. Solche Fälle fordern von mir äußerste Konzentration, um herauszufinden, welche von allen möglichen Ängsten die größte ist. Dieser versuche ich dann, unter Aufopferung der kleineren, zu begegnen. So bin ich Professor geworden. Die Angst, eine schlechte Arbeit abliefern zu müssen, trieb mich zu ungewöhnlichen Leistungen. Jahrelang habe ich meine Angst nur als ein Gebrechen angesehen, erst durch die Erfahrung habe ich gelernt, ihr gegenüber eine gewisse Dankbarkeit zu empfinden. So bin ich trotz meiner strengen katholischen Erziehung, aus Angst, mich gegen die göttlichen Gebote zu vergehen, Atheist geworden. Ebenso bin ich aus Angst, die geltenden Statuten zu verletzen, keiner Partei beigetreten. Wissen Sie, daß ich Hansjoachim Schmidt heiße, Schmidt mit dt. Meine

Mutter ist eine geborene Schulz, und wir wohnten in der Müllerstraße. Können Sie sich meinen Schock vorstellen, als ich verstand, was das bedeutet. Da war ich zwölf. Schmidt, geborene Schulz aus der Müllerstraße, das ist ein Schicksal; das sich, wo ich nicht meine ganze Kraft gegen es einsetzte, erfüllte. Meine Frau ist eine geborene Meier, Meier mit ei. Meine Jugend war vergällt von der Angst, ein gewöhnlicher Müllermeierschmidt zu werden, zu dem ich geboren war. Oh, sprechen Sie mir nicht von den Wonnen der Gewöhnlichkeit. Die Lust daran hatte sie, Sie wissen, von wem ich spreche, mir früh ausgetrieben. Ihre Mutter war eine geborene von der Mühlen, was letztlich auch nur auf einen Müller in der Ahnenreihe hinweist, aber sie war überzeugt, durch ihre Adern flösse, wenn auch nicht adliges, so doch geadeltes Blut, das sie in mir gegen das Schulzsche und Schmidtsche Erbgut zu beleben trachtete. Damit verstummte Schmidt. Er verhakte seine langen Finger um die übereinandergeschlagenen Beine und erstarrte zu einer komplizierten spitzwinkligen geometrischen Figur.
Da haben Sie aber eine sehr respektable Angst, Herr Schmidt, sagte Rosalind, meine eigene ist mir in ihrem Charakter noch weitgehend unbekannt. Ich habe nur beobachtet, daß eine Situation in mir oft gleichermaßen Angst und Lust hervorruft, wobei ich nicht ergründen konnte, ob meine Angst mir Lust verursacht oder ob meine Lust mir Angst macht oder ob beide angemessene und gleichberechtigte Reaktionen auf einen Vorgang sind. Seit jeher versetzt mich der Ge-

danke, etwas zu stehlen, in lustvolle Erregung. Ich gehe zwischen den Regalen einer Kaufhalle umher und stelle mir vor, wie ich irgendeinen Gegenstand, ein Marmeladenglas oder ein Stück Seife, statt in den Einkaufswagen in meine Tasche stecke, und augenblicklich verliert mein Körper seinen Gleichmut. In fiebernder Erwartung beginnt er zu glühen und zu zucken, während die Angst meiner Lust schon nachjagt, um sie zu fassen, ehe sie die Hand erreicht. Dabei verstärken sich alle Symptome der Erregung erheblich, und die Lust zu stehlen wird unbeherrschbar, wodurch die Angst – aber die Angst wovor, da ich unbeobachtet bin und keinerlei Folgen zu befürchten habe – ihre letzten Reserven aufbietet und die gierigen Hände so fest umklammert, daß ihnen die Feuchtigkeit aus den Poren quillt.

Herr Schmidt ließ die Gelenke seiner dünnen ineinander verschränkten Finger knacken, was Rosalind, der dieses Geräusch einen schmerzhaften Ekel verursachte, in ihrem Gedanken unterbrach.

Lassen Sie das, fuhr sie Schmidt an, worauf dieser beide Hände gehorsam auf seine Knie legte und statt dessen hörbar durch die Nase zu schnaufen begann.

Was haben Sie denn, fragte Rosalind, fühlen Sie sich nicht wohl. O doch, sagte Herr Schmidt mit vor Aufregung bebender Stimme. Ich dachte nur gerade daran, mich eines Tages vielleicht doch schei ... Die Tür sprang auf und, angeführt vom Mann in der roten Uniform, betraten die von Herrn Schmidt als Herrschaften bezeichneten Personen das Zimmer, setzten sich, mit ernsten Mienen und ohne zu grüßen, um Rosalinds Tisch. Herr Schmidt flüsterte eine unverständliche Entschuldigung und verließ seinen Platz neben Rosalind, um sich, ängstlich darauf bedacht, keine Aufmerksamkeit zu erregen, zwischen die anderen zu mischen.

Viertes Zwischenspiel

Der Mann in der roten Uniform legt eine dünne Akte auf den Tisch, befeuchtet die Spitzen seines rechten Zeigefingers und des Daumens an der Zunge und beginnt, in der Akte zu blättern:

Da die Mitglieder der Kommission leider, ich betone: leider,

er blickt auf und wirft einen eindringlichen Blick in die Runde, dann fährt er fort:

noch nicht, ich betone: noch nicht, zur Einstimmigkeit gefunden haben, setzen wir die Beratung über den Fall Polkowski unter Anwesenheit der Beschuldigten fort. Die Anklage lautet: Unerlaubte Phantasie in Tateinheit mit Benutzung derselben im Wiederholungsfall.

Die Frau mit dem zarten Wesen:

Und ich bleibe dabei. Wenn sie Piti die Phantasie verbieten, dann wird er ...

Die Frau mit der eigenen Meinung:

Stellen Sie sich doch nicht so stur. Der Vorsitzende will ja nicht die Phantasie verbieten, nur die unerlaubte Phantasie will er verbieten. Was nicht erlaubt ist, wird verboten. Das versteht doch jeder.

Der Mann in der roten Uniform zur Frau mit dem zarten Wesen:

Wer sagt denn, daß ich gegen die Phantasie bin. Ich bin sogar für die Phantasie, für eine konstruktive, positive, saubere Phantasie.

Die Frau mit der hohen Stimme:

Oh, das hat auch Mami immer gesagt: Kind, hüte dich vor einer schmutzigen Phantasie. So rein und klar wie ein Bergkristall muß deine Phantasie sein, damit die Welt sich in ihren schönsten Farben darin spiegelt, hat Mami gesagt.

Der Mann mit der blutigen Nase:

Wenn ich etwas zur Vermittlung beitragen dürfte. Wir sollten unterscheiden zwischen aktiver und passiver Phantasie. Eine passive Phantasie kann dem Menschen auch gegen seinen Willen zustoßen und sollte darum nachsichtig beurteilt werden. Hätte die Jungfrau von Orléans ihren Umgang mit den Erzengeln nicht in die Welt hinausposaunt und hätte sie, vor allen Dingen, ihre Phantasien nicht in kriegerische Taten umgesetzt, kein Mensch hätte sie auf den Scheiterhaufen gestellt.

Er betupft seine Nase prüfend mit einem sauberen Taschentuch, steckt es danach befriedigt in die Tasche und sagt:

Wir sollten zunächst prüfen, ob Frau Polkowski die Grenze von der passiven zur aktiven Phantasie bereits überschritten hat oder ob sie diese Grenze nicht überschritten hat.

Der Mann in der roten Uniform:

Hört, hört. Sie wollen also den potenziellen Mörder so lange vom Mord träumen lassen, bis er zu morden wagt. Der Tatträumer von heute ist der Täter von morgen.

Die Frau mit der eigenen Meinung:

Wer sowas noch verteidigt, macht sich selbst verdächtig. Pervers ist sowas, das ist meine Meinung, jawohl. Denken Sie vielleicht, ich habe keine Phantasie. Sehr wohl habe ich Phantasie. Ein Gulasch ohne Phantasie, ha, was das wohl sein soll. Da denkt man sich mit seiner Phantasie aber nicht aus, wie man den Gulasch am besten anbrennen läßt und wo man das madige Fleisch dafür herkriegt, weil das eben pervers ist. Aber das Leben und unsern Staat madig machen, das soll nicht pervers sein, das soll phantasievoll sein. Na, da bin ich aber dagegen.

Die Frau mit der hohen Stimme:

Die armen Menschen, man sollte vielleicht nicht so streng mit ihnen sein. Wie oft nehme ich mir ganz fest vor, daß ich jetzt etwas Schönes denke. Dann setze ich mich in den Sessel, in dem Papi immer so gerne gesessen hat, und will daran denken, was wir für eine glückliche Familie waren, als Papi noch bei uns war. Und dann überfallen mich so grausige Gedanken ... daß Papi vielleicht gerade jetzt mit einer anderen Frau ...

Sie schluchzt und kann nicht weitersprechen.

Der Mann mit der traurigen Kindheit:

Wenn ich mir einen fachlichen Hinweis gestatten darf: es ist unmöglich, die Subtraktion abzuschaffen und die Addition beizubehalten, wie ein Verzicht auf die Division gleichzeitig den Verlust der Multiplikation bedeuten würde, womit ich sagen will, daß die Tilgung der negativen Erscheinung einer Sache die Tilgung der positiven Erscheinung derselben Sache und damit die Tilgung der Sache selbst zwangsläufig beinhaltet; wenn mir der Vergleich erlaubt ist.

Die Frau mit der eigenen Meinung:

Dann behalten Sie doch Ihre Divisionen, oder wie das heißt, für sich, davon will auch gar keiner sprechen.

Der Mann mit der blutigen Nase hält sich das Taschentuch vor das Gesicht und schweigt.

Der Mann in der roten Uniform:

Denken Sie an die Männer der Verantwortung. Für sie heißt Phantasie der feste Glaube an das Gute. Was würden sie ohne diesen Glauben tun. Ich wage nicht, es auszusprechen. So aber glauben sie, uns allen zum Besten, unerschütterlich an die Liebe des Volkes, an das Funktionieren der Wirtschaft und an die Überzeugungskraft der Zeitungen. Ermessen Sie selbst das hohe Maß verantwortungsvoller Phantasie, das diese Männer Tag für Tag, Stunde für Stunde, uns allen zum Vorbild, aufwenden müssen. Ich spreche auch aus bescheidener Erfahrung.

Die Frau mit dem zarten Wesen:

Aber Piti ist ein Künstler. Er muß besonders sein, weil er sonst mittelmäßig ist, und darum braucht er auch eine besondere Phantasie. Erst neulich sagte Piti zu mir: Oh, Tipi, ich hatte eben eine furchtbare Vision, es gab keine Bäume mehr auf der Erde. Da waren wir sehr glücklich, Piti und ich, weil das beweist, daß Piti ein wirklicher Künstler ist.

Die Frau mit der eigenen Meinung:

Kann ja jeder. Ich habe gerade die Vision, daß es keine Menschen mehr gibt, da bin ich jetzt wohl auch eine Künstlerin. Soll sich doch Ihr Piti lieber ausdenken, wie die Bäume wieder wachsen, aber das ist ihm wohl zu schwer.

Der Mann mit der blutigen Nase, nimmt für einen Augenblick das Taschentuch von der Nase:

Die Kunst im Haus ersetzt die Axt im Wald, haha.

Alle, außer dem Mann in der roten Uniform, lachen.

Der Mann in der roten Uniform:

Was gibt es da zu lachen. Da gibt es nichts zu lachen. Es geht um Ordnung und Sicherheit. Um die Sicherheit der Ordnung des Kopfes. Wenn die Ordnung im Kopf nicht sicher ist, ist der ganze Kopf nicht sicher. Verstanden? Damit aber der Kopf, das bedeutet: die Ordnung, sicher ist, muß die Sicherheit in Ordnung sein. Ist das klar? Wie ist nun aber die Sicherheit sicher, daß die Ordnung, das bedeutet: der Kopf, in Ordnung ist. Ziel ist die gesetzliche Tragepflicht des Gedanken-Bild-Transformators, kurz GBT, welcher jeden Gedanken aus dem Kopf auf einen Bildschirm über dem Kopf überträgt, so daß Geheimnisse in absehbarer Zeit ausgeschlossen sind. Wer einen Gedanken für sich behalten will, darf ihn nicht denken, womit schon der kolossale pädagogische Effekt des Geräts garantiert ist. Unkontrollierte Gedanken wie: den könnte ich umbringen, laufen augenblicklich als Mord über den Sender, in Farbe, versteht sich, und erlauben die Verhaftung und Bestrafung des Täters vor der Tat. Leider befindet sich der GBT noch in der Testproduktion, wodurch wir zu herkömmlicher Aufdeckung des kriminellen Vorfeldes gezwungen sind, was uns im Fall Polkowski optimal gelungen ist: verbotene Kontaktaufnahme, Anstiftung zum Aufruhr, unterlassene Hilfeleistung, Verleumdung und so weiter und so weiter.

Der Mann in der roten Uniform springt auf, stützt sich mit den flachen Händen auf den Tisch, reckt seinen Oberkörper schräg aufwärts wie einen Kanonenlauf und schreit:

Angeklagte Polkowski, welchen Zweck verfolgten Sie, als Sie friedliche Spaziergänger auf einer der bedeutendsten hauptstädtischen Magistralen in Aufrührer und Leichen verwandelten.

Nicht aufregen, denke ich, nicht antworten. Der Mann irrt sich. Er ist mein Geschöpf und muß mir gehorchen. Das muß er vergessen haben. Oder er hat sich von mir befreit. Gab es einen Zauber, durch den er sich befreien konnte; wenn ich mich vor ihm fürchtete, vielleicht. Fürchte ich mich vor ihm? Der Mann steht in unveränderter Haltung, die ihm offenbar nicht unbequem wird, hinter meinem Tisch und stiert mich an, ohne die Augenlider nur einmal zu bewegen. Er will meine Antwort. Ich bin nicht mehr sicher, daß er der Anweisung, sich zu setzen und zu schweigen, falls ich sie ihm gäbe, auch folgen würde, was mich zögern läßt, einen derartigen Befehl auszusprechen. Herr Schmidt, von dem allein ich Beistand erhoffen dürfte, sitzt immer noch spitzwinklig ineinander geschoben zwischen den anderen, die wie er stumm vor sich hinstarren. Nur die Frau mit der eigenen Meinung riskiert hin und wieder einen schlauen Blick, der mich warnen sollte, in meine Richtung. Ihr gesunder Menschenverstand scheint ihr die schwerwiegende Entscheidung dieser Minute frohlockend zu signalisieren. Ich muß etwas sagen. Welchen Zweck ich verfolgt habe; ich habe keinen Zweck verfolgt. Ein seltsames Wort überhaupt, Zweck, zwecken, zwicken, der Reißzweck. Was ich gemacht habe, war zwecklos. Ich wollte zum Bahnhof, da kamen mir die Leute ohne Zweck entgegen. Zweck war abwesend und konnte darum nicht verfolgt werden. Was soll das, um Gottes willen, bedeuten: ein Zweck. Geben Sie mir bitte ein Pfund Zweck, oder sagt man Stück, drei Stück Zweck, bitte. Oder: Gehen Sie bis zum nächsten Zweck, dann links . . . Ich beginne zu zweifeln, ob es dieses bissige, eckige Wort überhaupt gibt, ob es mir nicht nur wie ein spitziger Stein in meinen Kopf gefallen ist, wo es mich nun drückt und piekt. Hat Ida es nicht benutzt, als sie, eher hilflos als boshaft, mit dem Teppichklopfer auf mich einschlug

und dabei mit einer sich überschlagenden, krähenden Stimme, weil sie gleichzeitig weinte, immer wieder wissen wollte, warum ich aufs Dach gestiegen war. Hat sie damals einfach nur gefragt: warum, oder hat sie, wie ich glaube, in ihrer Fassungslosigkeit endlos den Zweck solcher unglaublichen Tat ergründen wollen, was letztlich auf das Gleiche hinausliefe; warum, warum, zu welchem Zweck. Ich mußte mich von ihr verprügeln lassen, weil ich die Antwort nicht wußte. Alles, was ich als Begründung hätte vorbringen können, daß unser Haus, nachdem ich einmal von ihm herabgesehen hatte, mir nicht mehr so unbegreiflich groß vorkam, daß sein Dach nicht, wie ich befürchtet hatte, spitz zusammenlief, sondern eine genügend breite Fläche ließ, um gefahrlos darauf herumzuspazieren, wußte ich ja erst, seit ich auf dem Dach gewesen war. Wir waren aufs Dach gestiegen, weil wir aufs Dach gewollt hatten, dazwischen ließ sich kein Zweck verstecken.
Der Mann verharrt in blöder Gier, hin und wieder schluckt er geräuschvoll an seinem lüstern fließenden Speichel. Für eine Weile meine ich, eben diese Szene schon einmal erlebt zu haben, den gleichen hilflosen Ekel vor dem speicheltriefenden Triumph dieses Mannes ebenso verspürt zu haben, aber je dringlicher ich die vermeintliche Begebenheit zu erinnern suche, um so schneller entrückt sie ins Unfaßbare, bis sie den Horizont, über den meine Sinne ihr nicht folgen können, überschritten hat. Ich schweige noch immer, und obwohl ich mich dagegen zu wehren suche, schwindet meine Sicherheit, nicht schuldig zu sein. Woher die

Leichen, woher das viele Blut in meinem Kopf. Vielleicht bin wirklich ich, ich, die dieses alles denkt, der Täter, und nicht meine Angst, sondern meine Mordlust zeigt mir solche Bilder. Als ich den Mund öffne, um meinen Zweifel zu bekennen, werde ich durch ein vertrautes, von würgendem Husten verunstaltetes Lachen am Sprechen gehindert.
Mann, Rosi, sagt Clairchen, willste denn niemals schlau werden. Dabei schwebt sie, graziös auf den Zehen trippelnd, zwischen den Möbeln umher, die fleischigen Arme sehnsüchtig vorgestreckt, so als wollte sie mit den Fingerspitzen etwas sich ewig Entziehendes berühren. Siehste, wie ick tanzen kann, sagt sie und läßt ihren massigen Körper in einer vollendeten Pirouette kreisen, siehste, wat ick kann. Clairchen streckt ihr rechtes Bein senkrecht in die Luft, so daß ihr Fuß in dem schwarzseidenen Ballettschuh an die Deckenlampe stößt, während sie mit dem linken Fuß abwechselnd auf der Spitze, dann auf der ganzen Sohle steht, um sich gleich wieder auf die Spitze zu erheben. Weeßte, wat ick in meinem Leben am wenigsten ertragen habe, sagt Clairchen, daß ick nich Ballett tanzen konnte. Abends hab ick stundenlang im Bett jelegen, hab mir im Kopp ne Musik anjestellt, meistens Mozart, und hab mir zujekieckt, wie ick tanze, so wie jetzt, aber mehr Platz hatte ick natürlich. Morjens wußt ick dann wieder jenau, daß icks doch nich kann, und denn wollt ick manchmal ja nich uffstehn, weil ick dit eben am allerwenichsten ertragen habe. Leichtfüßig springt Clairchen in die Luft, dreht sich ein-

mal um sich selbst und landet sicher neben meinem Sessel.
Clara, sage ich, du siehst sehr schön aus, wenn du tanzt.
Weeß ick, sagt Clairchen, hab mir ja oft jenuch zujesehn, aber außer mir hats nie eener jegloobt.
Als sie sich erschöpft und schnaufend auf den Teppich fallen läßt, applaudieren die anwesenden, von mir inzwischen gänzlich vergessenen Personen in der Zimmerecke.
Bravo, ruft die Frau mit dem zarten Wesen.
Phantastisch, stöhnt die Frau mit der hohen Stimme.
Sogar der Mann in der roten Uniform schlägt seine kurzfingrigen Hände gegeneinander.
Sag ihm, daß er sich jetzt hinsetzen kann, sagt Clairchen.
Ich sage es ihm, und er, der ohnehin nicht mehr zu wissen scheint, warum er steht, setzt sich folgsam auf seinen Stuhl.
Haste nu verstanden, sagt Clairchen.
Ich bin Clairchen für ihren rettenden Auftritt dankbar, spreche aber nicht darüber, weil es mir peinlich ist, daß ich mich fast hätte überrumpeln lassen, und weil ich mich über die herablassende Nachsicht ärgere, in der Clairchen angesichts meines Versagens den Kopf schüttelt und dabei besserwisserisch lächelt.
Mannomann, hackt sich quasi die Beene ab und macht danach den gleichen Quatsch wie vorher. Imädshineischen, Rosi, sagt Clairchen, halb jewagt, is janz verloren. Damit erhebt sie sich, klopft mir kräftig auf die Schulter, vergiß nich, Rosi, Imädshineischen, sagt sie

noch einmal und verläßt mit drei Spagatsprüngen das Zimmer durch das Fenster, ohne dabei die Scheibe zu zerbrechen. Clara. Clairchen. Bleib hier. Komm zurück, rufe ich ihr nach oder denke, daß ich es rufe, aber Clairchen ist längst zerstoben im undurchdringlichen Dunkel der Nacht, und Rosalind blieb allein mit ihren ungebetenen Gästen.

Sie können gehen, sagte sie müde, endgültig, ich habe genug von Ihnen. Ich werde Sie vergessen, ich werde einfach die Falltür in meiner rechten Schläfe öffnen und Sie ins Vergessen stürzen.

Die Figuren rührten sich nicht. Wie leblose Puppen, ein törichtes Lächeln auf den Gesichtern, hockten sie in ihrer Ecke.

Haun Sie ab, wir haben nichts mehr miteinander zu tun, schrie Rosalind, aber sie saßen in stummer Eintracht um den Tisch, und jetzt bemerkte Rosalind, daß sie auch nicht mehr atmeten. Sie waren hier, in ihrer Wohnung, zum Denkmal erstarrt, zu einer lebensechten Figurengruppe für ein späteres Völkerkundemuseum. Sie würde in Zukunft mit ihnen leben müssen und sie demzufolge auch nicht vergessen können, solange sie in diesem Zimmer blieb. Ein unbehaglicher Gedanke, fand Rosalind, über den sie nur die Gewißheit tröstete, daß diese Leute ihr nun nichts mehr anhaben konnten. Trotzdem, dachte sie, sie hätte sie gar nicht erst einlassen dürfen oder sie hätte sich, nachdem sie einmal eingedrungen waren, nicht mit ihnen einlassen dürfen, nur im Fall des Herrn Schmidt hätte sie vielleicht eine Ausnahme machen können, wenn er sich letztlich auch als ängstlich und schwach erwiesen hatte. Herr Schmidt saß, unbeweglich wie die anderen fünf, in der Runde, nur lächelte er nicht, wie sollte er auch, da er das Lachen ja nicht gelernt hatte, sondern sah in teilnahmslosem Ernst vor sich hin. Etwas an Herrn Schmidt, ein kaum wahrnehmbarer Glanz in den Augen oder ein nur zu ahnendes Zittern einer abstehenden Haarsträhne, veranlaßte Rosalind, ihn leise anzusprechen. Herr Schmidt, Schmidt mit dt, flüsterte sie, leben Sie noch.

Über Herrn Schmidts Gesicht glitt ein leises Zucken. Entschuldigen Sie, sagte er, ich war wohl eingeschlafen, die Aufregung und der fehlende Schlaf, da bin ich wohl ein wenig eingeschlafen.

Nachdem die Benommenheit von ihm gewichen war und er erkannte, in welcher Gesellschaft er sich nunmehr befand, sprang er entsetzt auf. O Gott, murmelte er, o Gott.

Fassen Sie mal einen an, sagte Rosalind.

Herr Schmidt streckte seinen knochigen Zeigefinger aus und stieß damit dem Mann in der roten Uniform vorsichtig gegen die Brust. Steinhart, sagte er und schüttelte verstört den Kopf, aus naturwissenschaftlicher Sicht gänzlich unverständlich.

Martha behauptete, sagte Rosalind, sie hätte von ihrem Piratenprofessor gelernt, daß alle vergessenen Märchen durch die Jahrhunderte flögen, um eines Tages irgendwo auf die Erde zu fallen, so daß man unversehens für einige Minuten oder Stunden, bei sehr langen Märchen sogar für Wochen und Monate,

in sie hineingeraten könne. Die meisten Menschen, denen solches geschähe, glaubten, Opfer einer Sinnestäuschung geworden zu sein. Andere wären auch in Irrenhäuser gesperrt worden, weil sie, entgegen aller Vernunft, darauf bestanden hätten, ihr unglaubliches Erlebnis wirklich erlebt zu haben. Martha sagte, so ein herabfallendes Märchen würde alle es behindernden Naturgesetze außer Kraft setzen, was darauf schließen läßt, daß wir die hier nicht wieder los werden.
Ich kann es ja versuchen, sagte Herr Schmidt und schob seine Arme unter Knie und Achsel der Frau mit dem zarten Wesen, konnte sie aber, trotz sichtbarer Anstrengung, nicht einen Millimeter anheben. Schuldbewußt ertrug er Rosalinds abschätzigen Blick auf seine dürre Gestalt.
Egal, sagte Rosalind, ich wollte sowieso zum Bahnhof. Ich nehme Sie mit, es ist das Beste für Sie, wenn Sie mitkommen.
Mitkommen, flüsterte Herr Schmidt, jaja, weggehen, ich soll mit Ihnen weggehen. Oh, wie oft habe ich mir das schon vorgenommen, aufstehen und weggehen, sich noch einmal, vielleicht sogar zweimal oder dreimal umsehen, um die Freuden des Aufbruchs zu genießen, und weitergehen. Ich habe es nie gekonnt, und oft habe ich mich gefragt, warum ich es wohl nicht kann. Ich fand keine Antwort, vielleicht, daß ich nie wußte, wohin es mich gezogen hätte; ich brauche ein Ziel, für alles brauche ich ein Ziel. Aber Sie sagen ja: zum Bahnhof. Gut, zum Bahnhof, aber danach, wissen Sie, wohin Sie vom Bahnhof aus wollen. Sie schweigen. Sie

schweigen, weil Sie es nicht wissen. Seit Jahren quält mich ein Traum. Ich träume ihn nur im Frühjahr und im Herbst, niemals im Sommer oder im Winter. Das ist merkwürdig, nicht wahr. Ich träume, daß die Züge in die großen Städte durch mein Zimmer fahren, fast durch meine Stirn. Mein Zimmer ist ein Tunnel, den die Züge auf ihrer Strecke durchqueren müssen. Noch nie hat ein Zug gehalten, um mich mitzunehmen. Manchmal lehnen Reisende in den Fenstern und halten ihre Köpfe gefährlich weit hinaus, aber auch sie sehen mich, verborgen in der Dunkelheit des Tunnels, nicht. Auch meine Schreie hören sie nicht. Ich schreie nichts Bestimmtes, einfach inhaltlose Schreie, damit ich den Lärm der Züge ertragen kann. Nur selten kommt es vor, daß ich Wörter schreie. Anhalten. Stop. Sogar Hilfe habe ich schon gerufen, obwohl ich weiß, daß niemand mich hören wird. Oder weil ich das weiß, es wäre auch möglich, daß ich um Hilfe rufe, weil ich weiß, daß mich niemand hören wird. Und wenn eines Tages einer dieser Züge hielte, in meinem Zimmer, vor mir, würde ich nicht einsteigen. Ich würde ihm stehend nachsehen wollen wie seinen Vorgängern. Ich würde zurückbleiben wollen. Treten Sie von der Bahnsteigkante! Bleiben Sie zurück! Das gilt mir. Und dann träume ich wieder, daß ich auf die Gleise starre, die eisern mir entgegenstreben, und ich wünsche, es fände auf ihnen etwas für mich Bestimmtes den Weg zu mir. Aber ich will Sie nicht langweilen. Niemand interessiert sich für die Träume eines anderen. Nur die eigenen Träume können uns eine Ahnung von unserer

Abgründigkeit offenbaren, weil wir die Wirklichkeit dazu kennen. Das Geheimnis liegt in der Differenz, die nur der Träumende selbst ermessen kann.
Über seinen letzten Gedanken verstummte Herr Schmidt resigniert, als hätte er sich durch ihn an die allgemeine Vergeblichkeit, einander das Innerste mitzuteilen, erinnert.
Herr Schmidt, sagte Rosalind, Herr Schmidt, Sie ahnen nicht, wie gut ich Sie verstehe und wie vertraut mir Ihre Bedenklichkeiten und Ihre Sehnsucht nach einem höheren Ziel im Leben sind. Sonst säße ich nicht hier, sondern wäre in Spanien oder in New York bei Martha. Wenn nun aber stimmt, was Martha und der Professor über die herabfallenden Märchen gesagt haben, dann befinden wir beide uns mitten in einem Märchen, das nicht nur alle ihm hinderlichen Naturgesetze, sondern auch menschliche Eigenschaften außer Kraft setzt. Dann ist Ihre Angst nicht mehr Ihre wirkliche Angst, sondern nur Ihre Erinnerung an sie. Das ist eine Chance, Sie ein für allemal zu widerlegen. Nehmen wir an, Sie täten jetzt etwas, wozu Ihnen immer der Mut gefehlt hat, Sie stehlen oder Sie verlassen Ihre Frau und stellen anschließend fest: es war ganz einfach, nichts von allem, was Sie befürchtet haben, trifft ein. Ihre Angst war umsonst.
Und wenn es doch eintrifft, sagte Schmidt und ließ seine Fingergelenke knacken.
Es ist eine Chance, sagte Rosalind, Ihre Chance. Nach einer Weile fügte sie hinzu: Und meine auch.
Schmidt nahm seine Brille ab, putzte sie sorgfältig mit

einem eigens dafür bestimmten gelben Lederläppchen, setzte sie behutsam wieder auf die Nase, korrigierte mit einer routinierten Geste den Sitz der Bügel und richtete einen aufmerksamen Blick auf Rosalind. Haben Sie sich schon einmal gefragt, warum Sie noch nie einen Menschen getötet haben. Ich habe darüber nachgedacht und etwas Erschreckendes herausgefunden: nur aus Furcht vor der Endgültigkeit habe ich noch nie getötet; aus Furcht, eines Tages das Unmögliche wünschen zu müssen, die Zurücknahme einer Tötung. Nichts fürchte ich mehr als die Endgültigkeit. Ich nehme sogar an, daß meine Neigung zur Wissenschaft dieser Furcht entspringt, denn in der Wissenschaft gibt es keine Endgültigkeit. Jede Erkenntnis birgt die nächste Lust in sich.

Ich kannte einen jungen Mann, sagte Rosalind – nur flüchtig, er wohnte in der Nachbarschaft –, der mit siebzehn Jahren einen anderen erstach. Als Kind war er still und unauffällig, lebte allein mit seiner Mutter. Als die wieder heiratete, zog sie mit dem Sohn zu dem Mann nach P. Daß aus dem Jungen ein Mörder geworden war, erfuhr ich durch Zufall. Die Großmutter hatte ihm, noch in der Stadt, einen kleinen Hund geschenkt, eine Promenadenmischung von unklarer Herkunft, und erst die Zeit ergab, daß ein Neufundländer beteiligt gewesen sein mußte. Innerhalb eines Jahres wuchs sich der Hund zu seltener Häßlichkeit und Größe aus. Der neue Vater verabscheute das Vieh und duldete es nur außerhalb des Häuschens, in dem die Familie wohnte. Kind und Hund widersetzten sich dieser Anordnung, was den Mann um so mehr aufbrachte, als der Hund nur dem Jungen gehorchte. Nach einer besonders heftigen Auseinandersetzung band der Mann den Jungen an den Birnbaum im Garten hinter dem Haus und erschlug vor seinen Augen den Hund. Zu der Zeit war der Junge zwölf. Er entwickelte sich zu einem schweigsamen Einzelgänger, hatte keine Freunde, bis er sich in ein dickes, allgemein als häßlich geltendes Mädchen verliebte. Sooft das Paar an den Wochenenden in der kleinstädtischen Disco erschien, wurde der Junge wegen der Häßlichkeit seiner Freundin verspottet. Eines Tages drohte er, den, der ihn noch einmal provozieren würde, umzubringen. Als er mit seiner Freundin am nächsten Sonnabend zur Disco ging, steckte im Schaft seines Stiefels ein Messer, mit dem er den erstach, der als erster seine Drohung mißachtete. Während der Gerichtsverhandlung kam die Ermordung des Hundes zur Sprache. Der Stiefvater erhängte sich im Keller seines Hauses. Als ich die Geschichte vor einigen Jahren hörte, fragte ich mich, warum ich nie getötet habe.

Und, fragte Herr Schmidt neugierig.

Ich weiß es nicht, sagte Rosalind, vielleicht hat mir nur niemand getan, was mich zum Töten veranlaßt hätte. Wer weiß. Mir schien ein Ausweg immer eher in meinem eigenen Tod zu liegen.

Oh, rief Herr Schmidt aufgeregt, das sollte Ihnen aber zu denken geben. Meinen Überlegungen zufolge sind Selbstmordgedanken oft Ausdruck intensivster, durch moralische Skrupel lediglich umgeleiteter Mordge-

danken. Der Mensch schämt sich seiner niederen Gelüste, will sie dennoch nicht aufgeben und kleidet sie darum in Gedanken, die ihn veredeln statt ihn zu verunstalten. Es gibt Menschen, die ein Leben lang in Selbstmordgedanken schwelgen, ohne je auch nur im geringsten Hand an sich zu legen. Sie durchleben ihren eigenen Tod unzählige Male in der Phantasie, und jedes Mal begehen sie dabei einen verbrämten Mord, ohne es sich eingestehen zu müssen.
Herr Schmidt zerrte an seinen langen Fingern und ließ sie alle, auch die Daumen, nacheinander in den Gelenken knacken, so daß Rosalind davon übel wurde.
Glauben Sie, sagte Herr Schmidt, es ist nur die Angst vor der Endgültigkeit, auch bei Ihnen. Selbst wenn Sie darauf bestehen, nur Ihren eigenen Tod gewünscht zu haben, werden Sie schließlich zugeben müssen, daß Sie noch leben.
Damit erhob sich Herr Schmidt, ging zur Tür, drehte sich, ehe er sie öffnete, noch einmal um, es tut mir leid, flüsterte er, aber der Mensch hat seine Natur. Dann verließ er Rosalind. Sie hielt ihn nicht zurück, obwohl es in ihrer Macht gestanden hätte und sie, angesichts des vor ihr liegenden Weges, über seine Begleitung froh gewesen wäre. Auch wenn der ängstliche Herr Schmidt ihr keine wesentliche Unterstützung hätte bieten können, hätte seine Anwesenheit, auch die Verpflichtung, ihn notfalls zu beschützen, die Bedrückung der Einsamkeit von ihr nehmen können. Aber sie war zu erschöpft, Herrn Schmidts Aufbruch zu verhindern. Es war viel geschehen in den letzten Tagen, und ob-

gleich Rosalind ihre Erlebnisse selbst beschworen, ihnen aus dem Dunkel ihres Innern zur Wirklichkeit verholfen hatte, fiel es ihr schwer, sich in ihnen zurechtzufinden. Hatte sie in ihrem anfänglichen Übermut nicht geglaubt, Herr zu sein über ein grandioses Theater, dessen Akteure nur ihrem Willen unterlagen. Ein Chaos ohne Ziel und Zweck hatte sie errichten wollen in der auf so unglaubliche Weise gewonnenen Freiheit. Statt dessen war sie selbst zum Akteur geworden, unterworfen dem Tun und Treiben ihrer Geschöpfe, die ihr so wenig gehorchten wie deren Ebenbilder aus Rosalinds früherem Leben.
Ich darf hier nicht bleiben, dachte sie, ich muß gehen, ich muß diese Wohnung verlassen, endgültig.

*

Ida war schon drei Wochen begraben, als Rosalind den letzten Akt ihrer Tilgung vollzog. Der Mann, Vertreter einer staatlichen Aufkaufzentrale, erstürmte die Wohnung mit sportlich eiligen Schritten, reichte Rosalind flüchtig seine sehnige Hand, betrat vor ihr das Zimmer, erfaßte die verbliebenen Gegenstände darin, um derentwillen er morgens um sieben Uhr hierhergekommen war, mit dem kühlen Blick eines Raubvogels und ließ sich, ein verdrießliches Lächeln um den Mund, in einen der beiden Sessel fallen.
Die Vasen interessieren mich, sagte er, während er einer Mappe ein Formular und ein metallenes Schreibgerät entnahm.

Die Vasen waren Geschenke von Hans, Arbeiter an der Königlichen Porzellanmanufaktur; nie benutzte, wöchentlich sorgsam entstaubte, außer einigen Fotos einzig vorweisbare Beweisstücke für die sechs glücklichsten Jahre in Idas Leben.
Ist doch KPM, fragte der Mann, ohne einen zweiten Blick auf die drei bauchigen, mit roten, blauen und gelben Blumen verzierten Gefäße zu werfen. Die Frage war rhetorisch gestellt, nur als Kostprobe seiner Sachkenntnis.
Die Vasen nicht, sagte Rosalind.
Dachte ich mir, sagte der Mann, die Hausnummer.
Rosalind verstand nicht.
Welche Hausnummer ist das hier.
Fünfundzwanzig.
Der Rest ist Müll, sagte der Mann, nachdem er die Zahl in das Formular eingetragen hatte. Er stand auf und tippte lässig gegen die Schrankwand, fünfhundert höchstens.
Die hat zweitausend gekostet, sagte Rosalind.
Der Mann lachte kurz. Davon kriegen wir jeden Tag ein Dutzend. Fünfhundert, Ihnen zuliebe.
Der Mann war wenigstens einen Meter neunzig groß. Früher, erzählte er, sei er Bademeister gewesen, hätte sich aber schon immer für Antiquitäten interessiert. Er durchmaß das kleine Zimmer mit drei Schritten, wobei er mehrmals, aus Betrübnis über Idas unzureichenden Geschmack oder über das schlechte Geschäft, das ihm hier zugemutet wurde, den Kopf schüttelte.
Die Sessel sind fast neu, sagte Rosalind.

Ida hatte sie, schon todkrank, vor einem Jahr gekauft, als ließe sich das Leben so beschwören, als dürfe einem, der in die Zukunft investiert hat, das Recht, sie zu erleben, nicht verweigert werden. Es mußte sich lohnen. Ob sich etwas lohnte oder nicht, gehörte zu den wichtigsten Kriterien in Idas Leben, und fünf Jahre zuvor, als sie noch gesund war, hätte sie den Erwerb neuer Sessel mit dem Hinweis auf ihr todesnahes Alter abgelehnt. Die paar Jahre noch, das lohnt sich nicht, hätte sie gesagt. Zwischen zwei Krankenhausaufenthalten hat Ida sie erstanden. Sie nahm, was es gab, schwarzes Kunstleder mit blauem Bouclé, scheußlich und teuer.
Hundert das Stück, sagte der Mann, beim besten Willen.
Ich verscherble Ida, dachte Rosalind, aber Ida ist tot.
Sie folgte dem Mann in die Küche.
Die Leute glauben immer, ihr Gerümpel sei sonstwas wert, klagte er, ich habe doch nichts davon, wenn ich sie betrüge. Seufzend öffnete er den Küchenschrank. Gut erhalten, aber was nützt das, mindestens fünfzehn Jahre alt das Modell. Er notierte Zahlen auf einem Zettel. Den schmiedeeisern gerahmten Spiegel im Korridor betrachtete er mit einem ratlosen Achselzucken. Allein der Anblick schien ihn zu peinigen.
Als er sie ansah, spürte Rosalind, wie das gequälte Grinsen des Mannes sich auf ihrem Gesicht wiederholte. Sie lachte mit ihm über Ida.
Eintausenddreißig Mark, sagte der Mann, abzüglich zwanzig Prozent Provision.
Er ließ sich Rosalinds Kontonummer geben. Die Sa-

chen würde man am Dienstag abholen, zwischen sechs und siebzehn Uhr. Er ging eilig, wie er gekommen war. Den Schlüssel übergab Rosalind der Nachbarin. Dann verließ sie Idas Haus zum letzten Mal.

*

Die Schönhauser Allee breitete sich steinern und mächtig vor ihr aus wie eine Festung. Nirgends ein Mensch, nichts rührte sich, selbst die letzten welken Blätter an den Bäumen hingen reglos. Hinter den Mauern der Häuser schlief ahnungslos das schwitzende Fleisch. Keine Spur mehr von einem Kampf. Nur der Geruch des Krieges hing noch in der Luft wie atemberaubender Nebel. Oder täuschte sie sich, hatte sie sich auch vorher getäuscht und der Strom von Angst getriebener Menschen existierte nur in ihrer Einbildung. Sie lief schneller. Kopenhagener Straße, Milastraße. Am Cantianstadion sah sie die Einsatzwagen der Polizei, daneben auf dem Bürgersteig Krankenwagen. Die Zäune um das Stadion waren niedergerissen. Von irgendwo klangen gedämpfte Stimmen, dann deutlich ein Ruf: hierher. Sie lief bis zur Eberswalder Straße. Polizeiwagen standen nebeneinander über die ganze Straßenbreite. Davor uniformierte Männer Schulter an Schulter. Für einen kurzen Moment gaben die Körper zweier Polizisten einen Spalt in der Autokette frei, und zwei oder drei Sekunden lang konnte Rosalind hinter die Barriere sehen. Ein Scheinwerfer überflutete die Straße mit bleichem Licht und schien auf die Körper zahlloser, eng nebeneinander liegender Menschen. Männer und Frauen in weißen Kitteln, auch Zivilisten, beugten sich über sie, aber Rosalind konnte den Zweck ihrer Bemühungen nicht erkennen. Am Eingang der Straße, gleich hinter den Einsatzwagen, bauten mehrere Männer an einer Mauer, die über Fahrbahn und Gehwege von einer Hauswand zur anderen reichte. Sie arbeiteten ohne Hast; einen Stein auf den anderen, die Mauer reichte ihnen schon bis an die Hüfte. Vorbei, ich bin wieder einmal zu spät gekommen, dachte Rosalind, wußte, wie unsinnig der Gedanke war, weil, wie die Dinge lagen, der Kampf, an dem sie hatte teilnehmen wollen, nicht eine Sekunde erlebt hatte, in dem er nicht schon entschieden war, es demzufolge keine Rechtzeitigkeit gegeben hatte. Weitergehen, nicht stehen bleiben, los, weitergehen, befahl eine Stimme. Die Lücke zwischen den Uniformierten schloß sich, und erst jetzt, ausgesetzt den Kamerablicken der Polizisten, die bedrohliche Stimme noch im Ohr, begriff Rosalind, was sie gesehen hatte. Mein Gott, flüsterte sie, setzte ihre Füße richtungslos, verkroch sich im Schatten eines Zeitungskiosks. So einfach war das, dreißig Meter Mauer, mehr brauchte es nicht. Die Eberswalder Straße wurde in westlicher Richtung durch die Stadtmauer vom angrenzenden Bezirk Wedding getrennt. Nördlich und südlich bildeten vierstöckige Häuser lückenlose Wälle. Und jetzt vermauerten sie den östlichen Zugang. Oder Ausgang. Dazwischen die Menschen, tausend, zweitausend, wer wußte, wie viele. Am Morgen würden vorübereilende Passanten erstaunt oder gleichmütig wahrnehmen, daß dort, wo gestern noch eine Straße war, nun eine Mauer steht. In einigen Wochen wird die Mauer beklebt sein mit Kinoplakaten und dem Aufruf für den Jahrgang achtundsechzig, zur Musterung zu erscheinen. Früher war da mal eine Straße, werden die Leute sagen, bis ihnen auch das in Vergessenheit gerät. Man muß etwas tun, dachte sie, man müßte etwas tun. Plötzlich drang durch die Stille ein Flüstern, zischende Stimmen aus der Luft, als formte diese selbst die Sätze.

Im Stadion hat es angefangen, flüsterte es.

Nein, an der Grenze.

Erst im Stadion, dann sind sie zur Grenze gezogen, flüsterte eine dritte Stimme.

Nein, sie wollten gleich über die Mauer, ich kann es von meinem Fenster aus sehen.

Quatsch. Aus dem Westen wollten sie rein.

Es fing im Stadion an, sage ich, sie haben einen totgeschlagen.

In der Nähe öffnete jemand eine quietschende Haustür, das Flüstern verstummte, Fenster wurden behutsam geschlossen. Aus der amputierten Straße hörte Rosalind noch dumpfe Geräusche, verursacht durch aneinanderschlagende Gegenstände, keine Stimmen mehr. Man konnte nichts tun, wem half es, daß sie hier stand, dachte sie, während sie, zögernd zuerst, dann immer entschlossener den Schauplatz der heimlichen Vorgänge verließ. Sie lief, lief. Knaackstraße. Schneller. Prenzlauer Allee. Weitergehn, nicht stehen bleiben. Man konnte nichts tun. Sieh dich nicht um, Orpheus,

Euridike folgt dir, aber sieh dich nicht um. Wenn ich doch schneller laufen könnte. Schritte, Schritte, in den nächsten Meter fallen, durch den übernächsten, zweitausendmal, dreitausendmal. Das Fleisch schleppt die Knochen bis dahin, wo sie liegen bleiben. Zum Bahnhof, warum denn zum Bahnhof, Martha, wohin soll man fliehen. Vorwärts ist rückwärts. Jeder Meter ein Abschied. Was ich verlassen will, muß abgeschritten werden. Aus den Häusern treten Tage, einzeln, in Gruppen, müde, ernste, übermütige, verschlafene, betrunkene Tage. Sie stehen in den Straßen und sehen mir nach. Winsstraße, da habe ich gewohnt, ist es zwanzig Jahre her, dreiundzwanzig? Die Jahre stehen in der Tür und winken mir zum Abschied. Ich winke zurück, fordere sie auf, mir zu folgen. Ihr gehört mir, ihr wart meine Jahre. Sie schütteln traurig den Kopf und treten langsam zurück in das Haus. Verräter, Feiglinge, ich gehe auch ohne euch, die Falltür in meiner rechten Schläfe auch für euch; ins Vergessen alle. Rückwärts ist vorwärts. Und du, Bruno?
Die Kneipe war jetzt fast leer. Nur Bruno und der Graf saßen noch am Tresen. Der Graf hatte die Stirn auf seine Unterarme gebettet und schlief. Die dürftigen Haarsträhnen, sonst kunstvoll vom linken Ohr über den kahlen Schädel zum rechten Ohr drapiert, hingen ihm jetzt lang auf die Schulter. Er schnarchte leise. Auch der Wirt, ein dicklicher Mann mit weißen Wimpern im rosigen Gesicht, schlief neben dem Evergreens dudelnden Radio. Schau mich bitte nicht so an, du

weißt genau, ich kann ... Bruno hob mühsam den Kopf und sah sich suchend um. Die Pupille des rechten Auges hatte sich unter das obere Lid verirrt. Wer ruft mir, sagte Bruno.

Ich, sagte Rosalind.

Bruno ließ das Kinn wieder auf die Brust fallen. Und ich dachte, er wäre doch gekommen, aber er kommt nicht, der Schurke, dabei weiß er, daß ich auf ihn warte, er muß es ja wissen, weil er dieser, dieser ... na eben dieser ... wachen Sie auf, Graf. Bruno schüttelte den Grafen derb an der Schulter, wachen Sie auf, ich habe den Namen vergessen.

Mit einem angstvollen Schrei riß der Graf seinen Oberkörper hoch, so daß er beinahe von dem hochbeinigen Hocker gestürzt wäre.

Wie heißt der, Sie wissen schon, sagte Bruno, der, auf den ich warte, weil er das alles weiß, alles.

Der Graf stöhnte. Ich habe etwas Grauenvolles geträumt, gräßlich, aber die Konkreta sind mir leider bereits entfallen, sagte er, legte sorgfältig seine Haarsträhnen über den Kopf und strich sie abschließend mit der flachen Hand an der Kopfhaut fest.

Wie heißt dieser Kerl, sagte Bruno.

Der Graf rückte seine Fliege mit den silbernen Sternen zurecht.

Sie meinen den Laplaceschen Dämon, Brünoh.

Richtig, rief Bruno erleichtert, weil er dieser Laplacesche Dämon ist, der alles weiß. Kannst du dir das vorstellen, Rosa. Ach nein, das kannst du ja nicht. Aber er weiß es trotzdem. Alles. Jedes Rädchen, das sich auf der Erde dreht, kennt er.

Wir warten jetzt schon zweiundzwanzig Jahre auf ihn, nicht wahr, Brünoh.
Zweiundzwanzig Jahre, sagte Bruno, kannst du eigentlich Bier zapfen, Rosa.
Rosalind ging hinter die Theke, spülte zwei Gläser und ließ sie vorsichtig voll Bier laufen.
Auf Laplace, sagte Bruno.
Auf den Dämon, sagte der Graf.
Rosalind schwieg. Den Namen Laplace glaubte sie schon gehört zu haben, ein Marquis muß er gewesen sein, Marquis de la Place, oder verwechselte sie ihn mit dem Marquis de Sade, nein, de la Place, das hatte sie schon gehört, ein Philosoph wahrscheinlich, aber was es mit seinem Dämon, der angeblich alles wußte und den Bruno und der Graf plötzlich wie Taschenspieler hervorzauberten, auf sich haben konnte, ahnte sie nicht einmal.
Üben wir uns in Geduld, sagte der Graf. Eines Nachts tritt er zu uns und weiht uns ein, Brünoh, auch in die Zukunft.
Die wir dann nicht mehr haben, sagte Bruno. Sie lachten.
Und in die Vergangenheit, sagte der Graf.
Die jetzt noch unsere Zukunft ist, sagte Bruno. Entzückt über ihre dialogischen Fähigkeiten, lachten sie lauter.
Dann verstehen wir alles, Brünoh, piepste der Graf unter übermütigem Gekicher.
Und drehen uns dabei im Grabe um, vollendete Bruno.
Sie schüttelten sich vor Gelächter, so daß Bruno das Bier aus den Nasenlöchern lief und der Graf, hätte

Bruno ihn nicht am Arm gehalten, endgültig vom Hocker gefallen wäre. Unter Seufzen, Stöhnen und Schneuzen verendete der Anfall der beiden allmählich. Bruno schaukelte die Neige in seinem Glas und verfolgte angestrengt das Kreisen der Bläschen auf dem Bier. Der Graf begleitete mit sehnsüchtiger Stimme den Sänger im Radio: ... ziehn die Fischer mit ihren Booten aufs Meer hinaus ...
Ich wollte mich verabschieden, sagte Rosalind.
Hören Sie, Graf, Rosa verläßt uns.
Der Graf unterbrach seinen Gesang. Sie werden uns fehlen, Madame Rosalie, sagte er und sang weiter ... bella, bella, bella Marie, bleib mir treu ...
Schön sind die Gespräche der Männer am Abend, deklamierte Bruno, verstehen Sie diesen Aktionismus der Frauen, Graf.
Ich gehe jetzt, sagte Rosalind, hoffte, Bruno würde sie etwas fragen; und wohin willst du gehen, Rosa, wo hoffst du zu finden, was nie ein Mensch verloren hat; aber Bruno ließ seinen Blick auf dem schalen Bier herumschwimmen wie Fettaugen auf einer Brühe und fragte nicht.
... Marie, vergiß mich nie, sang der Graf.

*

In die Kniprodestraße bog sie rechts ein. Der kürzeste Weg zum Bahnhof führte durch den Park. Sie mied die beleuchteten und betonierten Hauptwege, hielt sich abseits auf den schmalen Pfaden, bemüht, die Richtung nicht zu verlieren. Alles schien ihr fremd. Der Park eine öde Wildnis, die Kälte ewig. Erinnerungen an Spaziergänger, kreischende Kinder, sonnensüchtige Greisinnen entstammten einem anderen Leben. Daß diese Bäume Blätter trugen, war hundert Jahre her. Nur zwanzig oder dreißig Minuten trennten sie noch vom Bahnhof. Durch den Rhythmus ihrer Schritte klang ein Satz, immer derselbe, ... *und mein Stamm sind jene Asra, welche sterben, wenn sie lieben*, auch er aus einem anderen Leben. Sechzehn war sie, oder siebzehn, als sie ihn, vorm Spiegel stehend, immer wieder sagte, in die eigenen Augen, als wäre er ein Versprechen, ... *welche sterben, wenn sie lieben.* Ach, wie oft hätte sie sterben müssen. Oder war sie gestorben; war, die diesen Satz geschworen hat, lange tot und ich habe das Leben verbracht als eine, zu der ich nicht geboren war. Der Satz entschwunden in das Labyrinth meiner Vergeßlichkeit, aus dem er in diesen Minuten den Weg zurück zu mir gefunden hat.

Ein Geräusch erschreckte sie, ein klagender Ton wie das Stöhnen eines windgebeugten Baumes, wie der sphärische Klang der Äolsharfe, und doch am ähnlichsten einem menschlichen Seufzen. Rosalind blieb stehen und wartete, ob es sich wiederholte. Ganz leise, als wäre er das ferne Echo des ersten, folgte ein zweiter, zitternder Seufzer, dem Rosalind folgte in dichtes Gesträuch, wo sie verharrte, bis ein erneutes Stöhnen ihr den Weg durch die Dunkelheit wies. Unter einem breitästigen Ahornbaum fand sie eine kauernde Gestalt, die, beide Arme um die angezogenen Knie geschlungen, den Oberkörper rhythmisch wiegte und dabei jene Klagelaute ausstieß, die Rosalind angelockt hatten. Sie näherte sich der Gestalt lautlos und hockte sich in einem Abstand von zwei oder drei Metern neben sie, ohne von ihr bemerkt zu werden. Der Mann, als solchen hatte Rosalind das Wesen unter dem Baum trotz der Finsternis erkennen können, schaukelte sich wie in Trance, eingeschlossen in die eigene Umarmung. Erst als sie ihn ansprach, erschrecken Sie bitte nicht, flüsterte sie, zuckte er zusammen, sagte dann aber mit einer ruhigen, fast unbewegten Stimme: Ach, ist es schon so weit. Ich dachte, ich hätte noch Zeit. Gehen wir. Er stand langsam auf, und Rosalind sah, daß er groß und kräftig gewachsen war. Sein Gesicht konnte sie nicht erkennen, aber seine Stimme klang, wenn auch sehr ernst, wie die eines jungen Mannes, nicht älter als dreißig.

Ich weiß nicht, wohin Sie gehen wollen, sagte Rosalind, aber ich habe damit nichts zu tun.

So, sagte der Mann und setzte sich wieder, das ist schön. Rosalinds Anwesenheit schien ihn nicht zu interessieren. Er legte wie zuvor die Arme um seinen Körper und ließ sich in seine wiegenden Bewegungen fallen. Ab und zu stieß er einen der wehen Laute aus, die er durch das Wiegen erst in sich zu schaffen schien und die wie ein feines, sehr scharfes Messer bis in Rosalinds Herz drangen.

Ich möchte Ihnen nicht zu nahe treten, sagte Rosalind, aber dürfte ich Sie fragen, wer Sie sind und warum Sie hier in der Kälte sitzen.

Es ist nicht kalt, sagte der Mann, Sie müssen sich entspannen, nicht zu tief atmen, auch nicht zu flach, dann werden Sie feststellen, daß die Temperatur Ihrem Körper ausreicht. Ich sitze hier, weil ich Ausgang habe. Ich ... ich ... es ist mir untersagt, mit Menschen zu sprechen, aber ich bin heute etwas dekompensiert, das muß dem Professor entgangen sein, sonst hätte er den Ausgang nicht gestattet.
Leben Sie in einer Klinik, fragte Rosalind.
O ja, sagte der Mann, sie ist sehr schön und es geht mir gut, es geht mir sehr gut, sehr gut geht es mir, es geht mir gut, es geht mir sehr gut, sehr gut geht es mir, es geht mir ...
Ist ja gut, sagte Rosalind und griff nach der Hand des Mannes, wie heißen Sie.
k 239.
Das ist Ihre Patientennummer, und wie heißen Sie?
Ihre Hand ist kalt, sagte der Mann, Sie müssen sich entspannen, nicht zu tief atmen, auch nicht zu flach.
Ich heiße Rosalind Polkowski.
Sehr angenehm, sagte der Mann k 239. Das sage ich Ihnen nur, weil ich heute etwas dekompensiert bin. Es ist mir untersagt, mit Menschen zu sprechen.
Rosalind fragte sich, mit wem der Mann wohl sprechen sollte, wenn nicht mit Menschen, und warum er das Wort Menschen aussprach, als bezeichnete es das Fremde, das Verbotene. Er hatte aufgehört, sich zu schaukeln, wühlte statt dessen nervös durch das raschelnde Laub und schwieg. Einige Male atmete er tief ein, und Rosalind glaubte, er sammle Atem für einen

wichtigen Satz, der ihr die Merkwürdigkeit seines nächtlichen Aufenthalts erklärte, aber so schwer, wie er die Luft eingesogen hatte, stieß er sie wieder aus und schwieg. Auch Rosalind, entmutigt durch die gleichförmigen Antworten des Mannes, fragte nichts mehr. So saßen sie, durch Stille und Dunkelheit gleichermaßen getrennt wie geeint, nebeneinander, und dann, verführt durch das Einsamkeit vortäuschende Schweigen oder überwältigt von seiner seelischen Verstörung, begann der Mann zu sprechen:
Ich bin ein Klon, wenn Sie wissen, was das ist. Ein Klon ist gewissermaßen das Plagiat von einem Original. Als die Mutter meines Originals im dritten Monat schwanger war, entnahm man während einer Untersuchung dem Fötus in ihrem Leib unbemerkt eine Zelle, pflanzte sie in eine entkernte Eizelle und zog daraus mich. Ein Vierteljahr nach der Geburt meines Originals war auch ich soweit, daß ich den künstlichen Bauch, in dem ich bis zur Geburtsreife herangewachsen war, verlassen konnte. Seit diesem Tag diene ich der Wissenschaft. Ich bin stolz darauf, der Wissenschaft zu dienen. Während ich, da es zu meinen Aufgaben gehört, seine Lebensfälle zu simulieren, mein Original gut kenne, ahnt er nichts von meiner Existenz, obgleich er nur ihr seine ungewöhnliche Karriere verdankt. Ich gleiche ihm in jeder Nervenfaser, in jedem Härchen, in jeder Veranlagung. Ich bin sein eineiiger Zwilling. Über uns wird ein großes wissenschaftliches Werk geschrieben: Die Entwicklung der Persönlichkeit unter realen und klinischen Bedingungen. Da mein Original

eine namhafte Persönlichkeit ist und damit ständiger ärztlicher Kontrolle unterliegt, leistet auch er, ohne es zu wissen, seinen Anteil. Sie werden es vielleicht nicht glauben, aber ich habe ihm seine Frau ausgesucht. Man hat mir zweihundert Frauen gezeigt und dabei meine sensorischen Körperfunktionen elektronisch aufgezeichnet. Die Kandidatin, auf die ich am heftigsten reagierte, wurde ihm, ja, wie soll ich sagen, zugespielt. So haben wir ihm eine möglicherweise unglückliche Ehe erspart, die in seiner Funktion, insbesondere hinsichtlich seiner zu erwartenden Perspektive, ein zu hohes Risiko dargestellt hätte. Ist das nicht wunderbar.

Und Sie, sagte Rosalind, Sie sind doch ein Mensch.

Der Mann unterbrach sie. O nein, Sie verstehen noch immer nicht. Theoretisch bin ich ein Mensch, praktisch die Kopie eines Menschen, sein fleischgewordener Schatten. Das Original mit dem Namen und dem Personalausweis ist der Mensch und lebt das Leben, ich bin sein Kontrollgerät, darin besteht meine Bedeutung. Für die Wissenschaft, der ich seit dem ersten Tag meines Lebens diene, ist meine Bedeutung größer als die meines Originals, sehen Sie, darin liegt der Sinn meiner Existenz.

Aber Ihnen hat die Frau doch auch gefallen, sagte Rosalind.

Ja, sehr, sagte der Mann, sie gefällt mir immer noch, woraus zu schließen ist, daß sie auch ihm noch gefällt, denn ich lebe ebenso mit ihr wie er; er mit dem Original, wie es ihm zukommt; ich mit dem Klon.

Seit zehn Jahren, seit Rosalind den Film gesehen hatte,

in dem die Erde mit ihren Bewohnern nichts als die elektronische Spiegelung einer anderen, vermeintlich wirklichen, letztlich wieder gespiegelten Erde war, hatte das Gefühl, einer fremden, unbegreiflichen Absicht unterworfen zu sein, sie nie mehr ganz verlassen. Immer wieder überfiel sie die Vorstellung, sie lebte in einem Versuchslabor für Menschen, in dem Aufbegehren nur geduldet wurde, solange es der Verhaltensforschung diente. Wer zuviel wußte, wurde getilgt. Warum sonst die Frühvollendeten, Frühgestorbenen. Sie waren den Züchtern zu klug geraten und hätten die Zusammenhänge ahnen können. Wahnsinn und die Fähigkeit, sich selbst zu töten, waren raffiniert erfundene, den Menschen implantierte Mechanismen, die den letzten Weg zur Erkenntnis versperrten. Vielleicht war Clairchen in ihrem unendlichen Liebessehnen dem Geheimnis näher gekommen als sie alle, auch als Martha, so nahe, daß die Mechanik zu arbeiten begann, Schmerz auslöste, das Gefühl von Unerträglichkeit und am Ende den Befehl erteilte, sich selbst auszulöschen. Je länger Rosalind solchem Gedanken nachhing, um so tiefer geriet sie in seinen Sog. Das Leben schien sich dem Modell zu fügen: die verschiedenen Rassen, die Klimazonen, Epidemien und Hungersnöte, die unheilbaren Krankheiten offenbarten, sobald Rosalind sie als Testprogramme und Laborversuche dachte, einen Sinn, der sich in der brutalen Willkür ihres Wirkens sonst nicht finden ließ. So erklärten sich selbst die Kriege, die niemand wollte und die dennoch stattfanden, als regierte etwas Fremdes, einer eigenen Vernunft gehorchend, über die Menschen, die dazu verurteilt waren, sich mit den falschen Mitteln zu wehren, weil sie den Zweck ihrer Existenz nicht erfahren durften; eine Betrachtung, unter der alles, was Rosalinds Kopf als Wissen über das Leben gespeichert hatte, sich auflöste in einer unfaßbaren Nichtigkeit, der Rosalind sich nicht gewachsen fühlte und der sie, bis zu jenem Morgen vor vier Nächten, in den festen Glauben an die Wirklichkeit zu entrinnen gesucht hatte. Jetzt, da sie der leibhaftigen Bestätigung ihrer Alpträume, einem Menschen, der vorgab, kein Mensch zu sein, sondern ein Kontrollgerät, gegenübersaß, blieb es stumm in ihr. Kein Aufruhr, kein Grauen, kein Ekel; eine warme Dumpfheit rann ihr wie zu dickes Blut stockend durch die Glieder. Also doch, dachte sie, also doch, während der Mann erzählte, wieviel Liter Wodka er schon habe trinken müssen, um die Ursachen für Fehlentscheidungen seines Originals aufzuspüren. Fast immer liegt es am Alkohol, wenn er Fehler macht, sagte der Mann. Der Genuß von Alkohol, insbesondere von hochprozentigem, erzeugt in uns die Neigung zu extremer Unberechenbarkeit. Sie dürfen sich meine Aufgabe bitte nicht zu einfach vorstellen. Seine und meine psychischen Konditionen gleichen sich nur in der Anlage, nicht aber in ihrer Ausprägung, da wir, wie Sie sich denken können, sehr unterschiedlichen Einflüssen ausgesetzt waren. Wenngleich man bemüht war, mir durch Filme, Tonbandaufzeichnungen, ja, selbst durch Drogen, seine Erfahrungen zu transplantieren, ließ sich der Faktor der Unmittelbarkeit nur teilweise ausgleichen. Es bedurfte, um zu realen Simulationsergebnissen zu gelangen – und jetzt werden Sie verstehen, warum auch die sensibelste Maschine den Klon nicht ersetzen kann –, meiner Phantasie.

Die Beklommenheit, mit der der Mann seine Erzählung begonnen hatte, wich, je länger er sprach, einer bedrängend euphorischen Schwärmerei. Seine Stimme hob sich, zwängte sich in einen scharfen Diskant. Es schien, als könnte sein Mund die Sätze nicht so schnell formen, wie er sie auszusprechen wünschte. Die Worte drängten einander über das schmale Gleis der Stimme; hin und wieder fiel eins hinunter und überschlug sich mit einem schrillen Schrei.

Sie werden zugeben müssen, fuhr der Mann hastig fort, daß ich ein ungewöhnlich reiches Leben führe. Das sage ich, obwohl ich weiß, daß das Wort Leben mir nicht zusteht. Aber in gewisser Weise habe ich ein Leben, indem ich sein Leben nachvollziehe. Gleichzeitig – und das in konfliktloser Übereinstimmung – erfülle ich meinen Dienst an der Wissenschaft, der mich befähigt, mein Original besser zu durchschauen, als er selbst es je können wird. Während er seinen Sinnen und Lüsten ausgeliefert bleibt, habe ich, wenn auch der Not gehorchend, gelernt, ganz und gar aus dem Geist zu existieren. Mein Körper dient mir als Werkzeug zur Erkenntnis; auch meine Gefühle produziere ich zum Zwecke tieferer Einsicht in mein Original. Jede meiner Einsichten in sein reaktives Verhalten fließt ein in sein psychosomatisches Perspektivprogramm. Ich umzingle ihn, erkunde seine geheimsten Triebe, die dann,

entsprechend ihrer Bedeutung für seine Zukunft, genutzt oder verödet werden können. Verstehen Sie, was das bedeutet? Er rückte näher an Rosalind, der die Vorstellung, der Mann könnte sie berühren oder ihr sogar, infolge des Eifers, mit dem er sprach, seinen Speichel ins Gesicht sprühen, heftigen Widerwillen verursachte. Erkennen Sie die Wahrheit, fragte der Mann.
Vorhin, als ich Sie traf, waren Sie traurig, sagte Rosalind. Sie nannten es dekompensiert.
Oh, Sie erkennen die Wahrheit nicht. Könnten Sie sonst in solchem Augenblick Ihre Anteilnahme über mich ergießen wie kuhwarme Milch statt zu begreifen, daß ich es bin, ich, der Mitleid haben könnte. Von mir hängt ab, was aus ihm wird. Ich führe ihn; er folgt mir. Selbst über seine Gemütszustände entscheide ich, indem ich herausfinde, welche auf ihn leistungssteigernd wirken und welche ihn behindern. Dank meiner Arbeit wissen wir, daß jederart extreme Empfindung auf ihn leistungsmindernd wirkt. Das wird in seiner medikamentösen Grundbehandlung – vornehmlich über Elektrolyte und Hormone – bedacht; nur bei anhaltender Müdigkeit oder Antriebsschwäche gesteht man ihm kurzfristige Höhepunkte zu. Ohne mich wäre er ein gewöhnlicher Mensch, ein Nichts, verstehen Sie jetzt.
Rosalind fror. Ein kalter zugiger Wind war aufgekommen, als hätte man plötzlich irgendwo eine Tür geöffnet. Hier und da riß die Wolkendecke, und über dem Geäst des Ahornbaumes zeigten sich eisgraue Risse im Himmel. Es gibt keine Fremden mehr; zwei Wochen, bevor Martha verschwunden war, hatte sie diesen Satz

gesagt; keine Fremden, keine Geheimnisse, nur noch Plagiate. Vor dieser Entdeckung war sie geflohen, wohin, Martha, wohin soll man fliehen. Haben Sie denn keine Lust zu leben, sagte Rosalind, zu leise, als daß der Mann sie hätte verstehen können.
Sie antworten nicht, gut, schweigen Sie, sagte er. Aber gewiß überzeugt Sie, was ich Ihnen jetzt anvertrauen werde. Sollte meinem Original etwas zustoßen, flüsterte der Mann, bin ich darauf vorbereitet, seine Stelle einzunehmen. Niemand weiß, welche Persönlichkeiten des öffentlichen Lebens jederzeit durch einen Klon ersetzt werden können, auch wir, die Klons, ahnen es nur. Selbstverständlich hat jeder Kosmonaut einen Klon, der im Fall eines tödlichen Unfalls für die Geheimhaltung unverzichtbar ist. Klons von Staatsmännern kommen seltener im Todesfall, dafür oft bei abweichendem Verhalten ihrer Originale zum Einsatz. In allen bisher bekannten Fällen haben die Leistungen der Klons die ihrer Originale weit übertroffen. Klons sind zuverlässiger, weniger störanfällig, ihr Leben dient der Wissenschaft. Das ist das oberste Gesetz ihres Lebens. Sollte ich eines Tages mein Original ersetzen müssen – einige Umstände, über die ich jetzt nicht sprechen möchte, lassen einen solchen Fall in den Bereich des Wahrscheinlichen rücken –, werde ich beweisen können, zu welchen Leistungen ein genetisches Muster, wie er und ich es darstellen, tatsächlich fähig ist.
Die zunehmende Erregung des Mannes, seine abgehackte und kurzatmige Sprechweise, die wilden Gesten, mit denen er seine Worte begleitete, ließen in Ro-

salind den Verdacht aufkommen, sie säße einem Wahnsinnigen gegenüber. Schließlich wäre es möglich, daß nichts von allem, was er erzählte, stimmte. Vielleicht war er ein verrückt gewordener Liebhaber von Science-fiction-Geschichten, dem eines Nachts der Schrecken vor der Zukunft mit der Gegenwart verschmolzen war und ihm den Kopf verwirrt hatte. Darum hat er auch vorhin, als sie ihn fand, einen so traurigen Eindruck auf sie gemacht. Irgendwo in seinem wirren Geist wußte er noch um sein vergangenes Leben, das ihn um den Verstand gebracht hat. Sie, Rosalind, hat es nur die Beine gekostet, den armen Mann gleich den Kopf. Der Mann schien alle Vorsicht vergessen zu haben. Er war aufgestanden und sprach jetzt in einer Lautstärke, als stünde er vor hundert oder tausend Zuhörern und nicht vor Rosalind allein, die, unschlüssig, ob sie Mitleid oder Abscheu empfinden sollte, sein seltsames Gebaren verfolgte.
Die wirkliche Leistungsfähigkeit eines Prototyps, sagte er, läßt sich niemals am Original, sondern ausschließlich am Klon ergründen, woraus sich bei vorurteilsfreier Betrachtung sehr leicht schließen läßt, daß der Klon das eigentliche, unverfälschte Original verkörpert, das vermeintliche Original hingegen nur eine beliebige, oftmals sogar krankhafte Abweichung. Der Geist Einsteins hätte der Welt niemals verlorengehen müssen. Zehn, zwanzig, hundert wahre Einsteins, wahrer als ihr Original, weil unverdorben durch die Zufälle des Lebens, könnten gleichzeitig ihr Werk an der Wissenschaft vollbringen.

Ein verrückt gewordener Genetiker, dachte Rosalind, allmählich sicher, einen Geisteskranken vor sich zu haben. Der ewige Traum von der Unsterblichkeit, rief der Mann. In weiteren zweitausend Jahren wird man den Schulkindern die Genies unserer Tage leibhaftig vorführen können, die fünfzigste oder sechzigste Kopie von ihnen, und doch das unverblaßte Original.
Ein besessener Forscher, dachte Rosalind, der menschliche Klons züchten wollte oder sollte und der dann sein Werk an sich selbst so schauerlich vollendet hat. So könnte es gewesen sein. Rosalind fand, daß dieser zweiten Annahme eine beruhigende Gerechtigkeit innewohnte. So wird es gewesen sein, dachte sie: aus Verzweiflung darüber, daß es ihm nicht gelungen ist, einen menschlichen Klon zu züchten, ist er wahnsinnig geworden und hat sich in seinen eigenen Klon verwandelt. Sie haben ihn in eine Klinik gesperrt, aus der er heute nacht fortgelaufen ist.
Unter diesen Umständen wäre es das Beste, sie würde ihn zurück in die Klinik bringen, wo man ihn sicher schon vermißte. Wer wußte, was ihm zustoßen konnte, wenn er in diesem Zustand durch die Stadt lief und seine Schauergeschichten erzählte. Die Polizei könnte ihn wegen Geheimnisverrats oder Staatsverleumdung verhaften und vor Gericht stellen. Nicht auszudenken, zu welchen internationalen Verwicklungen es führen könnte, sollte der Mann auf einen unbefugten Ausländer, womöglich einen Journalisten, treffen. Die Geheimdienste der Welt wären für Jahre, wenn nicht für alle Zeiten, verunsichert, was Rosalind

an sich eher Genugtuung als Sorge bereitet hätte, und nur die Wehrlosigkeit des verstörten Mannes hielt sie davon ab, den Dingen ihren Lauf zu lassen.
Soll ich Sie in Ihre Klinik begleiten, fragte sie ihn, bemüht, jeden Ton des Mitleids in ihrer Stimme zu unterdrücken.
Das ist nicht nötig, sagte er, offensichtlich verärgert über die grobe Unterbrechung seines Vortrags. Er hatte gerade das Problem drohender Überbevölkerung infolge zunehmender Klonierung genetisch wertvollen Materials eingeleitet. Man wird mich gleich abholen, ich höre schon Schritte, sagte er und klopfte sich das Laub von den Hosenbeinen. Einen Augenblick später teilten sich die Sträucher, und eine nicht sonderlich große, schmale Frauengestalt stieg über das Strauchwerk. Es ist Zeit, sagte sie.
Der Mann wies mit dem Finger auf Rosalind und sagte: Wir müssen sie mitnehmen, ich habe ihr alles erzählt. Beide, der Mann und die Frau, traten auf Rosalind zu, und als sie sich ihr bis auf eine Armlänge genähert hatten, öffnete Rosalind die Augen. Sie sah, sehr nah, ihr eigenes Gesicht; die kräftigen Finger, die schon nach ihr griffen, gehörten einer Frau, die ihr Gesicht trug. Der Mann neben ihr glich Robert Redford oder dem Mann, der ihm ähnlich war. Nicht anfassen, schrie Rosalind, weg, weg, geht weg. Sie schrie noch, als die beiden sich längst aufgelöst hatten zwischen den Schatten des ersten Morgenlichts.
Erschöpft falle ich in das nasse Laub. Bilder schieben sich übereinander, Bäume, ein Fenster, weiße Wände,

mein Gesicht auf einer fremden Frau; und immer wieder Ida; Ida im dunklen Samtkleid mit dem weißen Spitzenkragen Hand in Hand mit dem jungen Mann, der Hans heißt; Ida mit der krustigen Höhlung, wo einmal ihr Mund war; Ida weinend mit dem Teppichklopfer in der Hand, ihre Lippen formen ein Wort, aber ich verstehe es nicht. Über allem der modrige Geruch des sterbenden Herbstes. Der Tod. Bist du da, sage ich, und niemand antwortet. Ich vergesse. Deutlich fühle ich, wie eine Spule in meinem Kopf rückwärts abläuft, ohne mein Zutun, ohne daß ich es aufhalten könnte. Ich versuche, mich zu erinnern, wo ich bin, aber ich weiß es schon nicht mehr, nur den einen Satz halte ich fest: ich muß zum Bahnhof, ich muß zum Bahnhof. Der Bahnhof ist überall, sagt jemand oder sage ich, denn die Stimme kenne ich wie meine eigene. Der Bahnhof ist überall, sagt die Stimme noch einmal, und jetzt weiß ich genau, daß ich es war, die gesprochen hat, obwohl es doch nicht meine Stimme war. Ich hebe den Kopf und drücke sogleich die Augenlider fest aufeinander, denn um mich gleißt die Sonne wie in einer Wüste. Meine Finger, dünne kindliche Finger, tasten die Steine, auf denen ich liege. Nur langsam gewöhnen sich meine Augen an das Licht. Nicht weit entfernt von mir sehe ich schlafende Männer und Frauen, wie ich hingestreckt im schmalen Schatten der Häuser. Ihre Köpfe liegen auf Plastiktüten, in denen sich alles befindet, was sie besitzen. Auch ich habe eine solche Tüte bei mir. Auf der anderen Seite, unter einem Baugerüst, hat jemand sich ein Wohnzimmer eingerichtet; ein dreckiges, aufgeschlitztes Sofa, Sessel ohne Beine, eine Obstkiste, die als Tisch dient. Drei Männer und eine Frau – ich kenne sie alle – lassen eine Schnapsflasche kreisen. Ich winke Ihnen. Hallo, Martha, komm her, rufen sie. Ich setze mich auf, mir ist übel, und meine Hände zittern, aber ich erinnere mich jetzt. Die schrundigen Häuserwände, die vernagelten oder eingeschlagenen Fenster, der im Wind schleifende Müll, der süßliche Geruch nach Abfall wie ein faulendes Rapsfeld, der Name auf dem Straßenschild: Bowery. Über Spanien, Algier, Toronto bin ich hierher gekommen. Ich will aufstehen, um zu meinen Freunden auf der anderen Seite zu gehen, die immer noch nach mir rufen, aber ich bin zu schwach. Ich schaffe es nicht, mich auf meine Beine zu stellen, die nicht weniger zittern als meine Hände. Eine Frau kommt auf mich zu. Ich spreche sie an und bitte sie, mir zu helfen. Sie ist sauber gekleidet, und ihre Hände zittern nicht, sie geht hier, in meiner Straße, spazieren. Helfen Sie mir, bitte, sage ich trotzdem zu ihr. Sie will vorübergehen, und in diesem Augenblick erkenne ich sie. Rosalind, sage ich, Rosalind Polkowski. Sie bleibt stehen. Ihre Augen suchen hilflos auf mir herum, bis endlich der erwartete Schrecken in ihnen aufglüht. Martha, bist du Martha, fragt sie. Statt mir aufzuhelfen, setzt sie sich neben mich und weint. Ich habe dich gesucht, sagt sie.

Jetzt hast du mich gefunden, sage ich.

Ihr Blick ist wie ein Spiegel, in dem ich meine graue, unreine Haut, meine fiebrigen Augen, die rissigen, ver-

narbten Lippen, das schmutzige Haar, die morschen Zähne erkennen kann. Ihr Entsetzen widert mich an, obwohl ich gleichzeitig den Eindruck habe, ich selbst betrachtete mich mit diesen erschrockenen Augen. Oder bin ich Rosalind; oder bin ich eine dritte.
Martha richtete sich auf. Hör auf zu heulen, sagte sie.
Dafür, flüsterte Rosalind, dafür.
Was dafür.
Dafür bist du gegangen.
Hast du eine Zigarette, fragte Martha.
Sie rauchten. Sie saßen nebeneinander und sahen sich nicht mehr an. Was hast du erwartet, sagte Martha, einen Ehemann im Maßanzug oder in Jeans und mit Bart, was kaum noch einen Unterschied ausmacht, zwei begabte Kinder oder was.
Ich weiß nicht, sagte Rosalind, nichts Bestimmtes, aber nicht das.
Ich muß kotzen, sagte Martha. Sie beugte sich seitwärts und erbrach galligen Schleim gegen die Hauswand. Es liegt an der Inflation, sagte sie. Das hat schon der Professor gesagt: die Inflation der Zeit kostet uns das halbe Leben, inzwischen wahrscheinlich noch mehr. Man kriegt nichts mehr für Stunden oder Tage, die Minuten könnten sie überhaupt streichen. Jedes besondere Erlebnis mußt du mit Jahren oder Jahrzehnten bezahlen. Wer mit seiner Zeit geizt, bekommt gar nichts, bestenfalls schäbige Plagiate. Wer denkt, er kann die Jahre sparen und in Tagen und Wochen bezahlen, wie seine Großmutter, als sie jung war, es noch durfte, wird seine Zeit am Ende sinnlos vergeudet ha-

ben. Ich habe fast alles ausgegeben. Ich weiß, du denkst, es waren nur zehn Jahre, aber ich habe vierzig dafür gezahlt oder fünfzig.
Ich habe zehn gegeben und eins bekommen, sagte Rosalind, weil eins war wie die anderen.
Was ist ein Jahr, sagte Martha, ein Jahr ist wie ein leerer Karton. Die Zeit zählt in Erlebnissen, nicht in Jahren.
Der Schweiß strömte Rosalind aus den Poren, verdampfte in der glühenden Luft, zerschmolz die Grenze zwischen ihrem Körper und allem, was sie umgab. Ein bedrohliches Gefühl von Auflösung überkam sie. Sie sah zu Martha, die matt an der Mauer lehnte, die Augen von den schweren Lidern halb verdeckt. Sie mußte an Georg denken und an seinen Satz: du hast sie vertrieben. Zaghaft strich sie über Marthas Hand. Habe ich dich vertrieben, fragte sie.
Martha lächelte, ohne die Augen zu öffnen. Darauf gibt es keine Antwort, Rosalind, ich habe etwas gesucht.
Hast du es gefunden.
Nein, sagte Martha, aber ich habe es mit aller Kraft gesucht. Weißt du noch: das nutzloseste Stück von dir mußt du finden und bewahren, das ist der Anfang deiner Biografie, hat der Professor gesagt. Erinnerst du dich.
Du wolltest deinen Vater finden.
Martha lachte ihr kicherndes heimlichtuendes Lachen. Mein Vater ist ein kleiner Polizist in Berlin. Habe ich dir das nie erzählt. Es gibt kein Wort für das, was ich suche. Ich könnte es Apfel nennen oder Pyramide oder Baum, es wäre gleichgültig. Jeder Mensch trägt das Bild dessen, was er suchen muß, in sich, jeder ein ande-

res, und es ist unmöglich, ein Wort zu erfinden, in dem alle diese Bilder aufgehoben wären. Einmal glaubte ich, gefunden zu haben, was ich suche. Ich ging auf einer Landstraße zwischen zwei Städten, ich weiß nicht mehr, zwischen welchen. Es war im Sommer. Plötzlich verdunkelte sich der Himmel, bis er schwarz war, Wind kam auf, und die ersten schweren Regentropfen trafen mich wie Nadelstiche. Ich stellte mich unter einen Baum, aber bald wurde der Regen so stark, daß er durch die staubigen Blätter fiel und in grauen Rinnsalen an mir hinunterlief. Ich ging zurück auf die Straße, wo der Regen auf mich stürzte und innerhalb von Sekunden keinen Millimeter an mir trocken ließ. Einmal naß, verlor sich mein Widerwille. Statt mich gegen das Unabwendbare zu wehren, gab ich mich ihm hin, anfangs gleichmütig, bald aber lustvoll. Das Wasser umspülte mich wie das Meer, es lief mir in die Augen, in die Ohren, es strömte mir aus den Haaren in den Hals, über den Rücken, es klebte mir das Kleid an den Körper wie eine Haut. Ich öffnete den Mund, ließ das Wasser in mich hineinlaufen. Dann fiel ich oder warf mich absichtlich auf die Erde, wälzte mich im Schlamm, ich fühlte, wie mein Herz wuchs und wuchs, und für eine Weile glaubte ich, selbst der Regen zu sein und die Erde, die sich gerade so stürmisch miteinander verbanden. Eine halbe Stunde später war alles vorbei, Wind und Wolken wie eine wilde Reiterschaft hinter dem Horizont verschwunden. Von der Erde stiegen die Dampfschwaden auf und begannen den Kreislauf von neuem. Mein Haar und meine Kleider trockneten, ich rieb mir die Schlammkrusten von der Haut. Ein unbekanntes Gefühl von Einverständnis klang in mir nach wie ein wunderbarer Akkord, als wäre ich selbst ein Instrument und etwas hätte alle Saiten in mir gleichzeitig so kunstvoll angeschlagen, daß nicht ein einziger Ton die berauschende Harmonie des Augenblicks störte. Seitdem weiß ich etwas.

Eine Gruppe junger Leute, an denen die kleinen stumpfen Nasen und die mandelförmigen Augen auffielen, zog vorbei. Sie redeten miteinander in einer Sprache, die Rosalind nicht verstand, die ihr aber dennoch bekannt vorkam. Sie trugen eigenartige Gegenstände mit sich, große bemalte Pappwände, lange Stangen, einer schleppte eine weiß angestrichene Holztreppe. Trotz der Hitze liefen sie schnell, als hätten sie ein Ziel. Ihre kindlichen und heiteren Gesichter, fand Rosalind, paßten nicht in diese Straße, in der alles, die herumlungernden Menschen, die Häuser, sogar die an den Straßenrändern parkenden Autos, verwahrlost wirkten.

Habt ihr etwas gefunden, rief Martha ihnen zu.

Noch nicht, aber wir schaffen es, riefen sie zurück, ohne stehen zu bleiben.

Eine Theatergruppe aus Alaska, erklärte Martha, Eskimos, die hier in der Stadt, ganz in der Nähe, »Antigone« gespielt haben. Sie hatten Erfolg. Eines Tages starb der Großvater der Hauptdarstellerin, und alle Mitglieder der Gruppe fuhren nach Hause, um den Großvater zu beerdigen. Als sie zurückkamen, war ihr Theater verkauft und von dem neuen Besitzer kurzerhand abgerissen worden. Nun laufen sie schon wo-

chenlang herum und suchen ein neues Haus, in dem sie spielen können.
Die wissen wenigstens, was sie suchen, sagte Rosalind. Ich habe dich gesucht, ich habe dich gefunden, und was ist gebessert.
Martha winkte ungeduldig ab. Du hast mich so wenig gesucht wie ich meinen Vater. Du hast gehofft, ich könnte dir sagen, was du wirklich willst.
Rosalind schwieg.
Und jetzt bist du enttäuscht, weil ich es nicht weiß, sagte Martha, griff nach ihrer Plastiktüte und stand langsam auf, indem sie sich auf Rosalinds Schulter stützte. Du hast zuviel Angst, Rosalind, sagte sie, blöde, kindische Angst, die du zu allem Überfluß für Sensibilität hältst. Wir sind nicht unsterblich. Komm mit, wir gehen zu den anderen.
Martha nimmt meine Hand und zieht mich zwischen den hupenden Autos hindurch auf die andere Seite der Straße, wo ihre Freunde uns mit trunkenem Gejohle begrüßen. Die beiden Männer heißen Harry und Billy. Billy ist schwarz und jung, Harry ist weiß. Sein Gesicht ist von scharfen Falten kreuz und quer zerfurcht. Als er lacht, entblößt er seinen zahnlosen Kiefer. Beide tragen trotz der Hitze bunte Strickmützen auf dem Kopf. Die Frau, Vicky, wirkt, im Gegensatz zu den Männern, als wäre sie eben erst einem Bad entstiegen. Sie besitzt auch drei prall gefüllte Plastiktüten, in denen sie hin und wieder wühlt, um ein Taschentuch, einen Spiegel oder einen Lippenstift auszukramen. Harry reicht uns, Martha und mir, die Schnapsflasche, mir zuerst. Ich

muß mich überwinden, um die Flasche, an der eben noch Harrys schorfige Lippen gesogen haben, an meinen Mund zu setzen. Der Schnaps ist widerlich warm und brennt im Hals. Mein Magen zuckt und drückt mir das Zeug wieder in die Kehle. Ich schlucke es noch einmal, diesmal leichter. Billiger Fusel, der mir schnell in den Kopf steigt. Ich lege mich auf die Erde, Martha und die anderen reden in einer mir unverständlichen Sprache miteinander. Nur wenn sie lachen, kann ich sie verstehen. Martha lacht laut und schrill, wie ich es nie zuvor von ihr gehört habe. Ich registriere die sehr verschiedenen Gefühle, von denen ich gleichzeitig befallen werde, wenn vorübergehende Passanten flüchtige Blicke, in denen ich Verachtung, Mitleid, auch Angst finde, auf uns werfen. Ich schäme mich, weil ich hier liege; ich schäme mich, weil ich mich schäme. Mir ist ganz und gar gleichgültig, was die mit diesen Blicken von mir denken. Ich glaube mir nicht, daß es mir gleichgültig ist. Ich verachte die mit diesen Blicken, die nichts mehr fürchten, als daß solche Blicke eines Tages und unter Umständen, um deren Verhütung sie Gott bitten, auf sie treffen könnten. Ich habe Mitleid mit denen, die sich so fürchten, wie ich mich jetzt fürchte, aber ich habe es hinter mir. Das Schlimmste habe ich noch vor mir. Ich möchte mich verstecken und räkle mich wollüstig im stinkenden Staub der Straße. Ich möchte so schrill lachen wie Martha. Ich lache, ich kreische wie ein Affenweibchen. Ich habe es satt, gewaschen und sauber gekleidet zwischen den Menschen umherzugehen. Ich stehe auf, ziehe meine Hose runter und pisse mitten auf den Bürgersteig. Dabei schreie ich noch einmal wie ein Affenweibchen und schäme mich nicht. Ich finde mich ekelhaft, so gefalle ich mir. Angelockt von meinen Schreien, kommt Billy. Wir wälzen uns auf dem harten Pflaster. Die mit den Blicken müssen über uns steigen oder um uns herum gehen. Ich habe die Augen geschlossen und bin begraben unter Billys Gestank. Billy stinkt nach Schnaps und dem Schweiß von sieben Nächten. Er drückt mir mit den Knien die Schenkel auseinander, und wir paaren uns wie das Vieh. Die Steine scheuern mir die Haut vom Fleisch, mein Kopf schlägt in Billys Rhythmus aufs Pflaster, durch meine Poren sickert Billys beißender Schweiß. Dann steht Billy auf und geht zurück zu den anderen. Ich bleibe liegen, ein in den Stein gebrannter Schatten. Mich gibt es nicht mehr, ich muß nichts mehr fürchten. So schlafe ich ein.

Als Martha mich weckt, ist es Abend. Grauweißer Dunst hängt über der Stadt, und noch immer quillt die Glut des Mittags aus den aufgeheizten Mauern. Wir sind wieder allein, Martha und ich.

Wo sind die anderen, frage ich.

Welche anderen, sagt Martha, komm, steh auf, ich will dir etwas zeigen.

Unter dem faden Abendlicht liegt die Straße elend und besudelt wie der Schauplatz eines wütenden Kampfes; die Opfer flüchtig begraben unter den Abfällen der Stadt. Wir biegen in eine Seitenstraße. Martha läuft schnell mit festen Schritten und durchgedrücktem Kreuz. Ich habe Mühe, ihr zu folgen, bleibe einige Schritte hinter ihr. Ich weiß, daß ich das alles schon einmal erlebt habe. Über diesen aufgerissenen Asphalt, vorbei an diesen alten Häusern mit dem bröckelnden Putz bin ich schon gegangen. Martha stößt eine schwere Tür auf. Das Treppenhaus ist düster. Wir steigen in die erste Etage. Vor einer grün gestrichenen Eisentür bleibt Martha stehen, zieht einen Schlüssel aus der Jackentasche und öffnet die Tür, hinter der, im Halbdunkel nur schemenhaft erkennbar, ein mir vertraut anmutender Raum liegt.

Komm. Komm rein, sagt Martha und kichert dabei geheimnisvoll. Langsam, als müßten sich meine Fähigkeiten der Wahrnehmung erst durch einen Traum tasten, erkenne ich die schwebenden Gerüche des Zimmers, die vier weißen Wände, die Möbel.

Das ist mein Zimmer, sage ich, und niemand antwortet mir, denn Martha ist längst verschwunden, und Rosalind saß, die lahmen Beine zum Schneidersitz gekreuzt, allein in ihrem Sessel.

Der Blick auf die Straße fand das gewohnte Bild: die standhaften Fassaden der dreistöckigen Häuser mit ihren hohen, Gleichgültigkeit verbreitenden Fenstern, gebaut um die Jahrhundertwende und, wie es ihr jetzt schien, für die Ewigkeit. Ein dünnfädiger Regen belegte den trüben Novembermorgen mit eisigem Glanz. Es war, es ist, es wird sein; wie Schlangen verknäulten sich die Zeiten zu diesem Augenblick, in dem Rosalind sich unversehens wiederfand. Da bin ich also wieder, dachte sie, eher belustigt als verwundert über die Einsicht, daß ihre aufwendigen Bemühungen, sich vom Ausgangspunkt ihres Denkens zu entfernen, sie sicher an ihn zurückgeführt hatten. Da bin ich also wieder, sagte sie und beschloß, die Frage, ob darin etwas Gutes oder Schlechtes zu sehen sei, ob dieser Umstand von ihrer Stärke oder Schwäche zeugte, ob sie das oder das Gegenteil davon gewünscht hatte, nicht zu stellen.

Obwohl alle Möbel und Gegenstände auf ihren angestammten Plätzen standen, kam ihr das Zimmer verändert vor, enger, niedriger, ein Eindruck, den sie sich, da die Proportionen erhalten waren, nicht erklären konnte, der aber stärker wurde, je länger sie sich ihm überließ. Als würde sie vom falschen Ende durch ein Fernglas sehen, schrumpfte alles, was sie umgab, auf ein fernes unwirkliches Maß, das zugleich die Illusion erweckte, die so verwandelten Gegenstände würden, sobald man sich ihnen nur genügend näherte, ihre wahre, ungeahnte Dimension offenbaren. Sie versuchte, das Bild durch die Erinnerung zu korrigieren, vergeblich, wie sie sich als Erwachsene auch erfolglos bemüht hatte, die Bilder ihrer Kindheit nachträglich einer veränderten Größenordnung zu unterwerfen.

Von draußen hörte sie das Rauschen des anschwellenden Regens, den der Wind durch die Straßen trieb. Schwere Tropfen schlugen auf das Fensterbrett und zerstoben. Die trockene Luft im Zimmer brannte ihr auf der Haut, und der Anblick des klaren kalten Regenwassers machte ihr Durst. Den Mund weit öffnen und das Wasser in mich hineinlaufen lassen, naß werden, dachte sie, vom Regen naß werden, ja, das wäre schön.

Günter de Bruyn

Zwischenbilanz

Eine Jugend in Berlin

380 Seiten. Leinen

Diese Autobiographie ist ein literarisches Ereignis. Sie läßt die schwierigste Zeit unseres Jahrhunderts mit eindringlicher Intensität wieder aufleben. Sie ist Entwicklungsroman und Epochenpanorama in einem – ein Werk von seltener Kraft, Klarheit und Anmut. Günter de Bruyn erzählt von seiner Jugend in Berlin zwischen dem Ende der zwanziger und dem Beginn der fünfziger Jahre. Die Stationen sind: seine Kindheitserfahrungen während des Niedergangs der Weimarer Republik, die erste Liebe im Schatten der nationalsozialistischen Machtwillkür, seine Leiden und Lehren als Flakhelfer, Arbeitsdienstmann und Soldat, und schließlich die Nachkriegszeit mit ihrem kurzen Rausch anarchischer Freiheit und die Anfänge der DDR. Wie nur wenige Schriftsteller versteht es Günter de Bruyn mit wenigen Worten Charaktere zu skizzieren, Szenen zu entwerfen und die Atmosphäre der Zeit spürbar zu machen. Das Buch spiegelt den Lebenslauf eines skeptischen Deutschen wider, der sich nie einverstanden erklärte mit [illegible] Ideologien, die sein Leben prägten. Schutz vor der [illegible] Gegenwart fand er in [illegible] rischen Jugendlieben. [illegible] Trotz, auf wu[illegible]

S. Fischer Verlag

fi 2028/1